KNAUR
SCIENCE FICTION

Herausgeber
Werner Fuchs

Das 21. Jahrhundert hat begonnen, und Krise über Krise – Umweltkatastrophen, die Bevölkerungsexplosion und das Damoklesschwert einer globalen atomaren Auseinandersetzung – stellen die Menschheit vor das Ultimatum: totale Vernichtung oder aber Aufschwung auf eine höhere Ebene psychischer Entwicklung. Da geschieht es: Menschen, Tiere und Gegenstände verlieren plötzlich ihr Gewicht und steigen in die Luft auf. Die Schwerkraft scheint aufgehoben. Städte werden verwüstet, zahllose Menschen getötet. Die alten Regeln und Gesetze sind außer Kraft, Anarchie und Gewalt sind die Geburtswehen für einen neuen Menschen mit seltsamen telekinetischen Kräften. Das kollektive Unterbewußtsein der Menschen hat die Gefahr erkannt, sich einen Weg ins Bewußtsein gebrochen und einen neuen Machtfaktor auf der Erde geschaffen. Doch die traditionellen Staaten geben sich noch nicht geschlagen, alte Vorurteile und überkommene Vorstellungen haben noch überlebt. Und so kommt es zu einer entscheidenden Auseinandersetzung – auf psychischer Ebene...

Der 1953 in Portland, Oregon, geborene JOHN SHIRLEY machte sich innerhalb kurzer Zeit mit einigen aufsehenerregenden SF-Romanen einen Namen. Robert Silverberg hält ihn nach dem vorliegenden Buch für eines der größten jungen Talente in der Science Fiction. Neben dem bereits früher erschienenen Werk »Rebellion der Stadt« (Knaur Science Fiction Band 5753) ist »Die Psi-Armee« Shirleys bislang bestes Werk.

Von John Shirley erschien ebenfalls in der Knaur-Taschenbuchreihe *Science Fiction:*

»Rebellion der Stadt« (Band 5753)

Deutsche Erstausgabe

Titel der Originalausgabe »Three-Ring Psychus«

Aus dem Amerikanischen von Joachim Körber
Umschlagillustration W. Siudmak
Satz IBV Lichtsatz KG, Berlin
Druck und Bindung Hanseatische Druckanstalt GmbH, Hamburg
Printed in Germany · 1 · 9 · 683
ISBN 3-426-05762-X

1. Auflage

JOHN SHIRLEY

Science-Fiction-Roman

Deutsche Erstausgabe

Deep within your brain is a lever. Deep within your brain there's a switch.

Patti Smith

Und dieses visionäre Abenteuer ist für Walter Curtis, Andrea Lafayette, Salvador Dali, S. Parris und das Geheimministerium des Explodierten Herzens.

Erstes Buch

Ganz in der Nähe: Talls Drei-Manegen-Sensationszirkus

1

Zunächst hielt Dreyer es einfach nur für ein Abheben seiner Seele. Der Gehweg unter seinen Füßen bot keinen Widerstand mehr. Er fühlte sich leicht und beschwingt. Das führte er auf eine Stimmung zurück, für die der angenehme, warme Julimorgen verantwortlich war. Er schritt rascher aus. Sein Lächeln erlosch. Die Beine schienen unter ihm wegzuschmelzen. Er hing mit dem Gesicht nach unten. Er war nicht auf den grünen Fiberplastgehweg aufgeprallt, aber er hing mit dem Gesicht nach unten darüber, seine Nase war kaum zehn Zentimeter von der glasartigen Oberfläche entfernt.
Sein Gewicht schien zu gleichen Teilen über den ganzen Körper verteilt zu sein.
Er sah hinab...
...Hinab an seinem Körper und seinen Beinen...
Er berührte nirgendwo den Boden. Er schwebte parallel zur Straße. Dreyer schrie, seine Brille drohte hinter den Ohren wegzurutschen, er schlug nach seiner Brieftasche, die aus der Gesäßtasche glitt und fledermausähnlich davonflatterte.
Panische Versuche, sich wieder aufzurichten, entfernten ihn nur noch weiter vom Boden, und er taumelte mit einem Zeitlupenpurzelbaum drei Meter in die Höhe. Eine leichte Brise wehte ihn über den rückwärtigen Zaun eines Wohnhauses, und er verfing sich in einer aufgespannten Wäscheleine. Nasse Wäsche mit dem Geruch nach Schweiß und Detergenzien klatschte ihm kräftig über die Wangen, und da schrie er laut auf, obwohl er ein untersetzter Junggeselle in den würdevollen mittleren Lebensjahren war. Er schrie wie ein erschrockenes Kind.
Dreyer sah sich verzweifelt um, während er sich mit einer Hand an der Wäscheleine festhielt. Seine Beine zeigten immer noch in die Luft, seine Brille schwebte endgültig davon. Er griff hastig danach und zog sie wieder über Nase und Ohren.
Dasselbe geschah mit allen Leuten.
Die meisten waren viel höher als er. Er konnte sehen, wie sie langsam höher stiegen – Jahrmarktballons gleichend, deren Schnüre durchge-

schnitten worden waren. Sie schwebten fast mühelos zum Himmel empor... dem tiefblauen, offenen und wartenden Himmel.
Eine weinende dicke Frau, die züchtig ihren Rock festhielt, schwebte gerade zu den anderen in die Höhe.
Ein ersticktes Schluchzen drang aus Dreyers Kehle.
Und dann erfaßte ihn der Übelkeitsanfall, und sein Essen fand den Weg zurück ans Tageslicht. Es schwebte wie eine orange gesprenkelte Amöbe nach oben. Dreyer wandte sich würgend ab.
Die fernen Schreie von oben wurden zu einer Lärmkulisse, die er nicht mehr mißachten konnte. Er sah auf. Schatten verdunkelten den Himmel, ein dunkler Fächer schwebte um Portlands bekanntesten Wolkenkratzer.
Verblüfft schlug er die Hand, mit der er sich eben noch festgehalten hatte, vor den Mund.
Das waren *Menschen*, die dort oben flogen und dabei wie ein Schwarm vom Smog närrisch gemachter Vögel mit den Gliedern zappelten. Zu spät erst erkannte er, daß er dabei war, sich zu ihnen zu gesellen: Er hatte den Halt verloren. Er stieg auf. Er wirbelte kopfüber herum und wurde immer schneller. Mit einer Hand hielt er seine Brille fest.
Ein Luftwagen war außer Kontrolle geraten, sein hilfloser Fahrer klammerte sich verzweifelt an der Hecktür fest. Das Fahrzeug torkelte trunken auf Dreyer zu. Flüchtig dachte er daran, es zu übernehmen, dann aber erkannte er, daß die Ansaugöffnung auf ihn zeigte. Er spürte, wie er in den Sog geriet, und strampelte, bis seine Beine dem heranschwebenden Wagen entgegenzeigten. Er stieß sich mit den Füßen am Kühler ab. Der Wagen war glücklicherweise nur mit geringer Geschwindigkeit geflogen. Der Aufprall ließ zwar seine Zähne aufeinanderschlagen, aber danach trudelte er harmlos im rechten Winkel zur Flugbahn des Wagens davon.
Er war in einem kaleidoskopähnlichen Wirbel verloren und konzentrierte seine ganze Energie auf das Wiedererlangen seiner Brille (verdammt, die war teuer gewesen!), bis er schließlich seine Flugbahn stabilisieren konnte. Mit protestierendem Magen versuchte er sich zu orientieren. Er befand sich in Höhe des vierten Stocks, stieg im Fünfundvierzig-Grad-Winkel empor und rotierte seitlich. Ein Stück Seil schwebte vor seiner Nase vorbei. Er schnappte hastig danach, während er seine Brille wieder auf die Nase fummelte.
Eine zerknüllte Zeitung stieg aufwärts, die Schlagzeile ergab zerknittert ALLE NEGER RASIERT, doch Dreyer erinnerte sich, daß es un-

zerknüllt TALLS DREI-MANEGEN-ZIRKUS GASTIERT IN DER STADT heißen mußte. Er selbst hatte den Artikel am Vortag geschrieben, am 6. Juli 2013. Und nun hatte er das Gefühl, daß es sein letzter gewesen war.
Die Luftwagen, die geparkt worden waren, schwebten nun scheinbar stabil drei bis vier Meter über dem Boden. Kinder und alte Leute, deren Beine aufwärts zeigten, klammerten sich an ihnen fest, doch während er zusah, ließ einer nach dem anderen los, und sie alle schwebten wie die Seelen Verstorbener nach oben. Rufe wie »Nimm meinen Arm...«, »Funkstreife wird...«, »Feueralarm oder...« wurden laut.
Drei fahrerlose Luftwagen wirbelten ziellos durch die Schluchten zwischen den Gebäuden, überschlugen sich und zertrümmerten Fensterscheiben oder prallten gegen weiße Plastwände. Dreyer nahm erleichtert zur Kenntnis, daß sie einander umkreisten und nach links wegtrieben.
Vorhänge flatterten aus zerbrochenen Scheiben. Entsetzte Menschen wurden gegen die Decken von Wohnungen gepreßt, an denen er vorüberschwebte. Das Licht, das durch die aufsteigenden Trümmer herabfiel, bildete Harlekinsmuster auf den Kleidern der Menschen, die frei um ihn herum schwebten.
Wir steigen auf, wir steigen auf wie Bläschen im Bier, dachte er.
Eine maunzende Katze paddelte hysterisch auf sein Gesicht zu, er mußte ihr heftig gegen die Rippen schlagen, um sie zu vertreiben. Ein kleiner Junge schoß mit eng an die Brust gepreßten Armen und Beinen an ihm vorbei, was sehr an die lebende Kanonenkugel erinnerte, die er am Vortag in Talls Drei-Manegen-Sensations-Zirkus gesehen hatte. Der Junge hatte die Augen weit aufgerissen, schien sich aber nicht zu fürchten. Er lächelte sogar entzückt... Vieles, was hier geschah, erinnerte Dreyer an den Zirkus: die schwebenden Leute kamen ihm vor wie Tümmler, wie aufwärts fallende Clowns. Dreyer war schon fast zu der Überzeugung gekommen, daß es sich um eine halluzinogene Darbietung handelte, die bald wie eine abgestreifte Maske wieder verschwinden würde.
Langsam lockerte er seine verkrampften Muskeln, sein Atem ging wieder normal.
Oben hielten sich ganze Menschengruppen an den Händen, die hier und dort wie Seerosen auf einem Teich trieben. Diejenigen, die solo schwebten, paddelten verzweifelt, um in eine aufrechte Position zu gelangen.

Hier oben war die Luft angenehmer. Er befand sich vielleicht vierzig Stockwerke unter der Spitze des höchsten Wolkenkratzers. Er schirmte die Augen gegen das Glühen der Sonne ab und sah unter sich das grüne Band des Willamette River zu seiner Linken. Er wurde auf den Fluß zugetrieben.
Fünfzig Meter unter ihm schoß die Einschienenbahn durch eine sanft geschwungene Kurve. Dreyer sah ein kleines Mädchen, das wie wild mit den Beinen grätschte, während es sich mit einer Hand an der Schiene festklammerte.
»Laß los, Kind!« Doch der Zusammenprall erfolgte noch, bevor er seinen Ausruf beendet hatte, und der zerschmetterte Körper des Kindes stieg bewegungslos in den Himmel hinauf und verschwand. Blutstropfen markierten wie Konfetti seinen Weg.
Da war Dreyer endlich ganz sicher. Sicher, daß es kein Traum war.
Er sah sich verzweifelt um.
Er befand sich nun zehn Stockwerke unter der Spitze des Wolkenkratzers und vielleicht dreißig Meter horizontal davon entfernt. Vielleicht konnte er ihn erreichen und sich festhalten.
Er stellte mehrere Versuche an und fand schließlich heraus, daß er sich voranbewegen konnte, wenn er fest mit den Beinen strampelte und kreiste. Es war dem Schwimmen nicht unähnlich. Er trat aus, machte froschartige Bewegungen und kam sich federleicht dabei vor.
Schon bald floß sein Schweiß in Strömen und gesellte sich zu den treibenden Gegenständen und undefinierbaren Flüssigkeiten, die wie das Muster in einer Glasmurmel himmelwärts trieben.
Er blinzelte den Schweißfilm vor seinen Augen weg und sah eine Hand, die nach ihm griff. Eine ganze Kette von Menschen klammerte sich an Lüftungsrohre auf dem Dach. Er fuchtelte mit den Armen, Tränen kitzelten in seinem Haar. Er streckte einen Arm aus und versuchte, die ausgestreckten Fingerspitzen des Mädchens zu erreichen. Er glitt über sie hinweg, erfaßte sie, packte sie. Er grub die Nägel in ihr Fleisch, und sie schrie: »He, aua!«
Er versuchte, sich Handbreit um Handbreit an ihrem Arm hochzuziehen. Es funktionierte nicht. Zum erstenmal bemerkte er die *Schwankungen* in dem leichten Sog, der ihn nach oben zog. Er riß heftig, und das Mädchen kreischte. In einem Gewimmel von Armen und Beinen stieg er wieder höher, das junge Mädchen, ein Teenager, hämmerte weinend gegen seine Brust. Er hatte sie losgerissen, und nun befanden sie sich beide auf dem Weg in den Himmel.

»Sie gottverdammter *Idiot!*« schrie der Engel in seinen Armen.
»Tut... mir wirklich leid«, brachte er hervor.
Sie funkelte ihn zornig an, dann blickte sie hinab. Sie wimmerte.
Sie waren nun schon über dem höchsten Gebäude und stiegen noch weiter.
Hier oben war es kühl, die sanfte Brise war feucht. Er glaubte, das silberne Band des Ozeans am fernen Horizont sehen zu können. Unten verwandelte das gleißende Sonnenlicht eine Biegung des Flusses in eine blendendweiße Schweißflamme.
Das Mädchen in seinen Armen war eine Chicano, sie hatte blauschwarzes Haar, ihr fleckiges Aknegesicht glänzte vor Schweiß. Sie hatte wunderbar große Augen.
Dreyer wurde sich eines nicht expliziten Soges im Rückenmark bewußt, wo verlangende Finger ihn zu dem chaotischen Gedränge oben hinzogen, einer grauschwarzen Wolke. Die groben Facetten der Wolke wurden zu Möbeln und Hunden und Menschen und diesem und jenem. Alles wirbelte und torkelte durcheinander sternenwärts.
Dreyer dachte an den Wirbelsturm in *Der Zauberer Oz*, aber das beruhigte ihn auch nicht.
Schließlich kühlten Schatten seine Wangen, während er ins Herz des morastigen Treibguts vordrang.
Die schwereren Dinge befanden sich im allgemeinen unten: eine Schubkarre, ein kleiner Elefant, der trompetete und mit komischen Bewegungen ins Nichts trat, während er vergeblich zu Talls Zirkus zurückzukehren suchte, eine Zirkuskutsche mit zwei in Seide gekleideten Kutschern, die sich entsetzt festklammerten. Das Pony, das die Kutsche gezogen hatte, war tot, wahrscheinlich vor Schreck an Herzschlag gestorben. Es schwebte so steif wie ein umgekehrtes Reiterstandbild in der Luft. Ein Rasenmäher, dessen Schneiden sich immer noch drehten, summte gierig vor sich hin. In regelmäßigen Abständen schwammen Menschen aus seiner Bahn, oder einige der Toten fielen in seine Spur und verloren Glieder, was noch mehr rotes Fleisch in die Menge verspritzte. Ein Futtersack, ein Heuballen, ein Luftrad, ein Düngerbeutel, ein Klumpen Abfälle – all das vereinigte sich zu einem widerwärtigen Ballett.
Die Menschheit nahm das obere Viertel der Wolke ein.
Dreyer betrachtete die Bescherung. Wo blankes Metall den Kurs begleitete, war die Zusammenballung heller. Die Menschen schienen um eine unsichtbare Achse zu rotieren, was an das Auge eines Zyklons erinnerte.

Dreyer bemühte sich weiterhin, ein erkennbares Muster in den Bewegungen der Masse zu finden: Er hoffte, ein Telefon auf einen Schreibtisch schweben zu sehen, beides aufrecht, und dahinter eine Sekretärin in einem levitierenden Bürosessel, und dahinter wiederum ihren Boss, der von einem bequemeren Sessel einen Brief diktierte. Aber nichts schien sich in einer durchschaubaren Ordnung zusammenzuballen, nur Gewicht und Kreisbahn waren verläßliche Faktoren.
Nur wenige Opfer einer Schockparalyse trieben katatonisch in der Menge. Und Dreyer dachte: Warum? Warum sind denn nicht mehr von uns katatonisch, desorientiert und schlotternd vor Angst? Und etwas in ihm antwortete (ohne Worte): *Wir passen uns an, denn etwas in uns sagt uns, daß dies unvermeidbar war. Es mußte geschehen, es war bereit, und wir warteten. Das Fliegen kommt so oft im Traum zu uns...*
Eine Tanzpuppe, etwa dreißig Zentimeter groß, durchlief auf dem Kopf stehend ihre Tanzroutine, das perfekte, umgekehrte Abbild einer Ballerina. Dreyer lächelte ihr zu und fühlte sich beschwingt.
Der ihm am nächsten befindliche Menschenkreis brach auf, damit Dreyer und das Mädchen eingeschlossen werden konnten. In dieser Zelle befanden sich etwa dreißig Menschen: Einige lachten, andere weinten, viele schienen es gar nicht fassen zu können. Es gab wenigstens noch ein Dutzend weitere Ringe, jeder einige hundert Meter vom anderen entfernt.
»Als nächstes werden wir eine Pilzwolke sehen«, schluchzte ein Schalterbeamter mit müdem Gesicht, der eine zerknitterte Uniform trug. »In allen Zeitungen hat es gestanden. Krieg. Nahrungsmittelkrise, die Bevölkerung... es muß ein Krieg aus...«
»Lassen Sie das Geschwätz, Mann!« herrschte ihn ein kreisender Musterungsoffizier der Marine an, der dies offenbar als gute Gelegenheit sah, sich zu profilieren. *Er* würde das Kommando übernehmen. Sein zerfurchtes und kantiges Gesicht schien konturlos grau im Sonnenlicht, seine Augen blickten, als hätte er drei Tage lang ohne Unterbrechung Monopoly gespielt. »Es besteht absolut kein Grund zu der Annahme, daß der Feind hinter der Sache steckt. Wir haben weder Zivilschutzsirenen gehört noch Anweisungen vom Hauptquartier bekommen.«
»Wie hätte denn jemand, verdammt noch mal, Alarm geben sollen, wenn er unter der Decke hängt?« fragte ein Hochschulbengel in silberner Jerseyjacke und Shorts. »Und wie soll uns überhaupt jemand retten? Echt, ein Helikopter kann unter diesen besonderen Schwer-

kraftbedingungen nicht starten. Die Rotorblätter sind auf eine ganz andere Masseverteilung eingestellt, dasselbe gilt für Luftwagen und...«
Seine Worte wurden von einer Reihe knallender Explosionen aus der Richtung des Flughafens unterbrochen.
Alle Köpfe wandten sich in diese Richtung. Eine weitere Explosion erfolgte, als zwei Jets kollidierten. Jeder wandte sich wieder von dem schwarzen Rauchkissen ab, das sich über dem Flughafen bildete.
»Sieht nicht so aus, als würden wir immer noch steigen«, stellte der Musterungsoffizier nüchtern fest. Er schwellte die Brust unter der silberschwarzen Uniform der Orbitalpatrouille. »Das Phänomen scheint sich irgendwie stabilisiert zu haben. Mir ist da ein Gedanke gekommen...« Er legte eine dramatische Pause ein. Das Murmeln im Kreis verstummte. »Ich glaube, wir könnten einige der fahrerlosen Luftwagen übernehmen. Mir sind einige in der Wolkenformation aufgefallen. Wir könnten uns eines schnappen, eine Kette dahinter bilden und uns ziehen lassen. Meinetwegen nach... äh...«
»Ja, wohin?« wollte der Junge wissen. »Je näher am Boden man ist, desto stärker ist der Sog aufwärts. Ich habe mit meinen Bashball-Luftschuhen wieder runterzukommen versucht – hier, kleine Düsen an den Sohlen meiner Schuhe. Aber ich wurde nur wieder hochgeschleudert. Wird hier oben wahrscheinlich sowieso sicherer sein«, meinte er und nickte den Rauchfahnen zu, die von brennenden Gebäuden am Stadtrand aufstiegen, aus denen hell Flammen loderten. Die Gettos. Die Luft über diesen Stadtregionen schien vor brennenden und rauchenden Inseln geradezu überzuquellen – Gebäudetrümmer, die sich von ihren Fundamenten losgerissen hatten und brennend in die Höhe schwebten. Zeitlupenhaft aufsteigende Flammenkutschen.
Dreyer glaubte sich einen Plan ausdenken zu müssen, wie er sie alle in Sicherheit bringen konnte. Aber irgendwie konnte er sich nicht darauf konzentrieren. Die Vorstellung schien absurd, unnatürlich. Eigentlich fühlte er sich hier recht behaglich.
»Dreyer!« Das war Copeland, *Tribune*mitarbeiter und Enzyklopperson. Vor der Kyberverpflanzung war er Professor der Philosophie gewesen. Sein Kopf war fast doppelt so groß wie normal, wodurch seine Gesichtszüge winzig, verkniffen und zwergenhaft wirkten: Nebeneffekte der KRI (Kybernetische Ressourcen-Implantation). Copeland stieg zu Dreyer empor und gesellte sich höflich an seine Seite in den Ring. »Diese Idioten scheinen alle überrascht zu sein«, sagte Cope-

land mit einer Stimme wie Seide. Das winzige blaue Licht an der Seite seines Schädels war nicht erleuchtet, also war die KRI auch nicht aktiviert.

»Ah. Sie wahrscheinlich nicht!« antwortete Dreyer, der das Spiel mitspielte. Ihm kam Copelands Kopf in dieser Situation wie ein Ballon vor.

»Nein, *ich* bin nicht überrascht. Ich wußte zwar nicht, welche Formen es annehmen würde, aber ich wußte, wenn die Bevölkerungsdichte zu groß wird...« Er nickte in Richtung der Hügelkette, die Portland im Südwesten umschloß... Dreyer erinnerte sich noch an eine Zeit, als diese Hügel alle noch grün bewaldet gewesen waren. Nun waren sie bis an den Horizont mit Wohnhäusern überzogen. »Eine Explosion«, fuhr Copeland fort. »Wir konnten den Höhepunkt der Bevölkerungsexplosion eine Weile hinauszögern, aber lange aufhalten konnten wir ihn nicht. Ich gebe zu, es hat länger gedauert, als ich dachte. Und ich nahm an – auch das gebe ich zu –, es würde sich in anderer Form manifestieren: Jede Katastrophentheorieprojektion sagte für dieses Jahr einen Krieg voraus – auch meine KRI.«

»Ähem... aber was hat die Bevölkerung damit zu tun?« fragte Dreyer abstrakt. Er suchte den stahlblauen Himmel nach Vögeln ab. Keine zu sehen. Vielleicht flohen sie vor dem Rauch. Er konnte die brennenden Gebäude nun riechen. Es kratzte in seiner Kehle.

»Es muß einen Ort geben, wo die ganze Menschenmasse hinkann, wenn die Population einen bestimmten Punkt überschreitet... und Sie kennen doch auch das alte Sprichwort ›Immer nur nach oben‹. Ist Ihnen denn nie aufgefallen, wie seltsam sich die Leute in letzter Zeit verhalten haben? Ungewöhnlich niedrige Verbrechensrate. Allgemeines Gefühl der Erwartung. Sie haben darauf *gewartet.* Dies ist ein geschichtlicher Höhepunkt...«

»Sagt Ihnen das Ihr KRI? Ich meine, können Sie denn nichts Spezifischeres herausbekommen? Beispielsweise, wie man wieder runterkommen kann.«

»Ich habe meine KRI in letzter Zeit überhaupt nicht benützt. Macht mir Schwierigkeiten. Mischt sich in meine persönlichen Entscheidungen ein. Müßte sie mal reprogrammieren lassen. Mag sie bis dahin nicht benützen. Was ich Ihnen mitgeteilt habe, ist *meine* Theorie. Als ich meine Theorie einspeicherte, machte meine KRI lediglich eine Bemerkung, etwas über eine historische Gabelung, entweder Weltkrieg oder aber ›Erwachen‹ des kollektiven Unterbewußtseins. Und noch etwas über telekinetische Rückwirkung oder so. Ich weiß es nicht, das

verdammte Implant benimmt sich neuerdings merkwürdig. Ich traue ihm nicht mehr...«
»Mich würde interessieren, welchen Einfluß das hier auf die Vögel gehabt hat. Ich kann keine sehen. Und dann der Fluß – warum ist der Fluß nicht auch hier oben bei uns?«
»Oh, ich stelle mir vor, daß ihn das Moment des Fließens unten hält, aber wahrscheinlich wird auch er einiges höher sein als üblich. Aber wir scheinen es trotzdem nur mit einer teilweise aufgehobenen Schwerkraft zu tun zu haben. Die Vögel fliegen wahrscheinlich weit über uns verkehrt herum – aber wenn es sich um ein natürliches Phänomen handelt, wie den Beginn einer Eiszeit, dann haben sie es wahrscheinlich schon vorher kommen sehen und Vorkehrungen getroffen. Ich frage mich, was für ökologische Folgen das haben wird, wahrscheinlich nur geringe. Wenn es sich um einen Reflex der Natur handelt, dann wird sich die Natur auch selbst darum kümmern.«
Der Wind nahm etwas zu und wehte den Rauch aus den unteren Luftschichten.
»Ich habe überhaupt keine Flugzeuge in der Nähe gesehen. Sie?« fragte Dreyer.
»Nur das, welches explodiert ist.«
»Dann«, sagte der Musterungsoffizier wieder, »bleibt uns noch eine Möglichkeit. Wir könnten zu einem hohen Berggipfel schweben, uns mit den Händen festhalten und hinunterhangeln... äh...« Jeder stöhnte über die unglaubliche Dummheit dieses Vorschlages.
Dreyer betrachtete das dunkle Mädchen neben ihm. Sie hatte die Augen geschlossen, ihr Mund zitterte. Sie wollte die Augen öffnen und hinabblicken, warf aber jedesmal den Kopf wieder zurück.
Gelegentlich blies der Wind etwas heftiger, und über das Murmeln der Stimmen und das Weinen konnte man ein fernes Stöhnen hören. Manchmal wurde es zu einem schmerzenden Schrillen. Jetzt war es verschwunden. Da war es wieder.
Er wurde sich eines Druckes in den Eingeweiden bewußt. Er mußte urinieren. Wie sollte er *das* nur mit der nötigen Würde hinter sich bringen?
Dreyer wollte nicht daran denken. Er schloß die Augen und genoß mit Wangen und Stirn die Sonne. Er würde einen üblen Sonnenbrand bekommen, aber das störte ihn nicht. Er hatte wahrscheinlich sowieso nur noch einige Stunden zu leben.
»Hören Sie etwas, Dreyer?« fragte Copeland und umklammerte Dreyers Handgelenk.

»Ja. Ein fernes, heulendes Geräusch.« Er runzelte die Stirn.
Sein Blick folgte einer Papiergeldwolke, mehrere Zwanziger, die wie grüne Schmetterlinge fast zum Greifen nah über seinem Kopf dahinschwebten. Keiner rührte einen Finger, um nach ihnen zu greifen.
»Was ist das?« fragte der Junge in der Jerseyjacke. Er blinzelte nach Westen.
Er sah einen schwarzen Punkt, der näher kam und dabei größer wurde und feste Konturen annahm, ein Dreieck mit etwas Schimmerndem in der Mitte.
Vollkommene Stille war eingetreten, sah man von dem zunehmenden Heulen ab.
»Ein Rettungsflugzeug!« krähte der Offizier. »Ich wußte es! Wetten, daß es die alte U. S. Orbital Navy ist?«
Erleichterte Jubelrufe mischten sich mit mißfälligem Grunzen. Copeland lachte lauthals.
Das Ding wurde größer, schneller. Das ferne Heulen rollte lautstark über sie hinweg, es wurde dichter und vernehmlicher, und endlich konnte man es als das Heulen kräftiger Maschinen erkennen.
»Ist verdammt groß. Muß so groß sein wie ein Boeing Passagierspezialtransporter«, kommentierte eine blauhaarige Frau. Sie kam Dreyer bekannt vor. Arbeitete sie nicht auch im Büro der *Tribune?*
Sie sahen einige Minuten lautlos zu.
Es kam näher, und seine Abmessungen wurden immer beeindruckender. Zuerst erkannte es Dreyer am Lärm, den es verursachte, dann anhand seiner Form.
»Das ist eine Erntemaschine«, rief er unvermittelt. »Eines dieser neuen hektargroßen Modelle, wie sie sie auf den schwimmenden Weizenplantagen auf dem Meer verwenden.«
»Aber warum ist denn etwas derart Großes nicht weiter unten? Das ist doch sehr schwer!« sagte die hübsche Frau mit den blauen Haaren.
»Sie werden teilweise von Magnetfeldern angetrieben«, erklärte Copeland. »Bringt man das noch mit der verringerten Schwerkraft zusammen, dann erklärt es sich sehr leicht, weshalb das Ding so hoch oben ist. Vor der Küste von Astoria gibt es eine solche Plantage. Das Phänomen erstreckt sich also mindestens so weit. Verdammt, es ist ganz bestimmt ein weltweites Phänomen. Ja, das ist eine verdammt große Erntemaschine ... scheint verlassen zu sein.«
Sie ragte über ihnen auf, eine monumentale, schimmernde kubistische Version eines Berges, an dessen Basis sich ein höhlenartiges Maul be-

fand. Das Heulen pulsierte nun noch lauter, die Luft um sie herum zitterte, das Treibgut unter ihnen wurde sichtlich durcheinandergewirbelt.
Dreyer verlor den Halt an Copeland und dem Mädchen und drehte sich erneut, der Maschinenpark der Stadt kreiste langsam unter ihm. Übelkeit überflutete seinen Magen.
Menschen gerieten in Panik, der bereits offene Kreis brach an mehreren Stellen.
Dreyers Drehbewegung stabilisierte sich, und nun konnte er sehen, daß sie sich alle in eine Richtung bewegten. Saugwirkung!
Zylinder mit grauen, weizenerntenden Stahlzähnen drehten sich in der Maschine. Das verursachte die Saugwirkung. Dreyer wurde genau auf die Zähne zugezogen.
Das Gebilde ragte nun nur noch vierzig Meter entfernt über ihnen auf. Es war wie eine aztekische Pyramide terrassenförmig angelegt, allerdings von einer Glaskuppel bedeckt.
Die Kontrollkuppel des Fahrers war unbemannt. Wahrscheinlich hatte die Besatzung die Maschine aufgegeben, worauf die Kombination von Wind und ihrem eigenen Antrieb sie über das Festland geweht hatte.
Während die Entfernung zwischen Dreyer und der Erntemaschine schwand, schien sich das klaffende Maul immer weiter zu öffnen.
Voller Übelkeit sah Dreyer zu, wie drei der Menschen, die sich nicht an dem Kreis beteiligt gehabt hatten, mit rudernden Armen in die Öffnung gesogen wurden.
Ihre Schreie wurden eins mit dem Brüllen der Turbinen der Maschine.
Die Panik hing wie Eiseskälte in der Luft, die Menschen um ihn her bildeten ein Gewühl vor Entsetzen aufgerissener Augen und unverständlich brüllender Münder.
Das Ding ragte direkt über ihm auf. Das Licht, welches darauf fiel, ließ die Karosserie aus Fiberglas und Metall wie einen Eisberg schimmern. Er spürte das Ziehen des Soges an Kleidern und Haaren.
In Gruppen zu zweien und dreien wurden Menschen in die knirschende Dunkelheit gesogen. Eine Wolke glühenden Rots wartete hinter dem Erntemechanismus, wo normalerweise der Weizen gedroschen wurde.
Nur noch acht Meter. Rechts vor ihm erweckte eine Zusammenballung von Möbeln Dreyers Aufmerksamkeit. Mit der Kraft der Verzweiflung trat er sich vom Rücken einer weinenden, dicken Frau ab. Sie bemerkte es kaum.

Der Sog verfälschte seine ursprüngliche Flugbahn. Trotzdem schwebte er vier Meter nach rechts und klammerte sich mit den Fingern am Leichtmetallrahmen eines langen, kissenlosen Sofas fest. Er zog sich Handbreit um Handbreit an dem Gestell entlang, sein Bizeps schmerzte, während der Sog hinter ihm immer mehr zunahm. Blut und Schweiß seiner aufgeriebenen Handflächen arbeiteten gegen ihn, er glitt zurück. Doch er klammerte sich mit den Fingern fest, bis seine Nägel brachen. Er biß die Zähne zusammen und zog sich weitere Zentimeter vorwärts.
Das Gestell fiel mit zunehmender Geschwindigkeit den Schneidemessern der Erntemaschine entgegen. Nur noch fünf Meter. Die meisten von Dreyers Ringkumpanen befanden sich noch hinter ihm, kamen aber rasch näher. Der Offizier schwebte vorbei und wurde zwischen den rotierenden Walzen zerquetscht.
Dreyer zog sich über die Kante des Sofagestells, bis er kopfunter daran hing und der Rahmen gezwungen war, in die Vertikale zu kippen, und auf den Einsaugkanal der Maschine zutrieb. Er kämpfte stöhnend gegen den Sog an, wandte sich um, der Maschine zu, und stemmte die Füße fest gegen das vertikale Vorderteil des hinteren Rahmens. Der Schatten der Erntemaschine schluckte ihn, ihr Dröhnen pochte schmerzhaft in seinem Kopf.
Seine Rückenmuskeln schmerzten unerträglich, als er das Sofagestell aufrichtete. Das entgegengesetzte Ende des rechteckigen Rahmens wurde von zwei rasch rotierenden Walzen erfaßt und angezogen. Die Dreschwalzen drehten sich langsam einwärts, der Rahmen wurde verbogen, während Dreyer am anderen Ende wie ein Fisch am Haken durchgeschüttelt wurde. Er mußte all seine schwindenden Kräfte aufwenden, um den Halt nicht zu verlieren. Seine Fersen wurden über den Kopf zurückgesogen, bis seine Beine in die Öffnung deuteten und er sich nur noch mit den Fingerspitzen gegen das heftige Ziehen halten konnte.
Er hustete und sah Menschen näher wirbeln, die ihre Augen schlossen, während sie näher kamen, und hinter ihnen Wolken, purpurfarbenen Horizont, Sonnenlicht, das vom Schnee der Berggipfel reflektiert wurde...
Er verlor den Halt.
Fiel zurück.
Hinein in ein Kreischen kreisenden Metalls.
Er prallte mit den Schultern zuerst auf, Messer rissen Hemd und Haut auf.

Sein Drehmoment schmetterte den Kopf gegen einen stillstehenden Zylinder. Die Betäubung griff mit dunklen Fingern nach ihm.

2

Zu seiner eigenen Überraschung erwachte er wieder.
Alle Glieder waren noch vorhanden und unversehrt.
Sein Rücken war wund. Er wollte nach hinten greifen und zuckte zurück.
»Lassen Sie wohl den Verband in Ruhe!« Die Stimme einer Frau. Er sah sich um. Blaue Metallwände, an einer Seite eine Öffnung, dahinter Dunkelheit, fernes Summen von Generatoren, das Dröhnen der Maschinen, Gelächter und Unterhaltungen aus angrenzenden Räumen. Er war mit Garn an eine Koje gefesselt, die an einem Scharnier aus der Wand ragte.
Ein Kochgeschirr schwebte in der Luft, es verbarg fast die Leuchte. Neben ihm schwebte eine Frau, die sich mit einem um eine Deckenstützstrebe gewinkelten Fuß festhielt, während sie seine linke Schulter sanft mit der Hand berührte. Sein Hemd war verschwunden. Ihre Berührung war warm und angenehm.
Die Frau kam ihm bekannt vor. Sie war in mittleren Jahren und hatte viele Falten, aber sie waren alle nach oben gerichtet, als würde sie häufig lachen. Ihre Nase war schmal, ihre Lippen spröde, ihre Wangenknochen hoch, und ihre Augen standen etwas schräg, waren aber von blauer Farbe. Halb asiatisch, vermutete er. Ihr blaues, wie Tang treibendes Haar war von silbernen Strähnen durchzogen.
»Bin ich im Innern der Erntemaschine?« fragte er mit heiserer Stimme. »In den Mannschaftsunterkünften?
Sie nickte. »Erraten.« Ihr Lächeln wurde noch breiter. »Und vielen Dank.«
»Wofür?« Er wußte verdammt gut, wofür, aber er wollte es gerne aus ihrem Mund hören, da er stolz auf sich war. Er war fünfundvierzig und hatte vierzig Jahre darauf gewartet, einmal etwas physisch Heldenhaftes vollbringen zu können.
»Dafür, daß Sie den Schneidemechanismus der Erntemaschine außer Gefecht gesetzt haben. Sie haben ihn mit diesem Gestell festgeklammert. Sah verdammt schwer aus. Wir sind Ihnen sehr dankbar, ich besonders, denn ich war direkt hinter Ihnen und wäre als nächste an der Reihe gewesen.«

Seine Muskeln schmerzten jetzt noch. »War wirklich hart«, sagte er.
»Stellen Sie sich vor!« sagte sie mit strahlendem Blick. »Hier sind Vorräte für mindestens eine Woche. Es gibt sogar ein Badezimmer, und wir haben herausgefunden, wie man es benützt. Und Wasser, und Sicherheit vor dem heraufziehenden Sturm. Wir hoffen... Wir sind alle durch diesen Schacht direkt neben der Ansaugöffnung hereingekommen. Dort ist eine Schleuse.«
»Wie viele Menschen? Und gibt es hier oben Funk oder so etwas?«
»Ungefähr dreißig. Sogar Mr. Copeland gibt sich die Ehre, hier mit uns zu hausen. Kein Funkgerät.«
»Sie kennen Copeland?«
»Ja, noch bevor er sein KR-Implant erhielt. Ich habe eine seiner Vorlesungen übernommen. Damals mochte ich ihn lieber. Enzyklopersonen machen mich nervös... Sie kenne ich übrigens auch. Ich arbeite bei Ihrer Zeitung. Ich bin dort Sekretärin, vierter Stock. Wahrscheinlich haben Sie mich nie bemerkt. Ich habe Ihre Kolumnen immer gern gelesen.« Sie schien verlegen. »Mein Name ist Emmy Durant.«
»Ah. Ja, Miss Durant, ich erinnere mich an Sie.« Dreyer hatte den Arm befreit und löste seine Fesseln. Er schwebte in die Höhe.
Er schwebte drei Meter über dem Boden. Als die Blutzirkulation wieder angeregt wurde, zitterte er. »Was sagten Sie da... ein Sturm?« fragte er und wandte sich ihr zu.
Genau in diesem Augenblick erreichten sie die Ausläufer des Sturms mit voller Wucht.
Dreyer prallte von einem Schott ab und trieb hilflos, bis er schließlich etwas zu fassen bekam – etwas Sanftes und Warmes. Es war Emmys Hand. Sie hielten sich immer noch an dem Pfeiler fest. Der Raum stand nun auf dem Kopf, er spürte die sich aufbauende Zentrifugalkraft, als die Erntemaschine in den fast hurrikanartigen Böen zu kreisen begann.
Emmy half Dreyer zu dem Pfeiler, wo sie sich beide festklammerten. Sie preßten die Augen zusammen, ihre Mägen revoltierten.
Zehn Minuten später ließ die Drehung nach, und die Erntemaschine kreiste nun nur noch langsam, Wolken geisterten im Mondlicht vor der Schleuse vorbei.
Dreyer und Emmy ließen einander nur widerstrebend los.
Plötzlich wurde Dreyer sich bewußt, daß er fror, hungrig, erschöpft und desorientiert war und Schmerzen hatte. In dieser Reihenfolge. Er beschloß, diesen Zustand zu ändern.

Die Erntemaschine stand nun nicht mehr auf dem Kopf. Eine Wendeltreppe führte nach oben. Er stieß sich ab und hangelte sich die Treppe hoch, wobei er vor Rückenschmerzen stöhnte. Emmy, die sich in dem quasi freien Fall sichtlich wohl zu fühlen schien, schwebte anmutig hinter ihm her. Sehr geschmeidig, dachte er.
Die meisten der Versprengten, die ihrerseits ebenfalls ausgelaugt, furchtsam und hungrig aussahen, waren im Maschinenraum versammelt, der sich zwei Stockwerke weiter oben befand. Copeland sprach mit aggressiver Stimme. »Wenn wir an alle gleichmäßig Nahrungsmittel verteilen, wird nicht genug übrigbleiben...«
»Es wird reichen, bis wir Nachschub beschaffen können«, sagte Dreyer hinter ihm. Copeland wandte sich um und starrte ihn an. Dreyer fuhr fort: »Wir werden anderswo Nahrung bekommen. Hier oben müßte doch jede Menge herumschweben.«
»Das meiste Essen sollte an diejenigen mit der höheren Bildung unter uns gehen, die besser mit der Situation fertig werden, damit wir die Kraft haben, Befehle zu geben und alles zu organisieren...«, begann Copeland.
»Alle werden gleich viel Nahrung bekommen«, unterbrach ihn Dreyer ungehalten. »Und wenn jemand das Kommando übernimmt, wird das selbstverständlich nur nach einer Abstimmung geschehen.«
Zustimmendes und billigendes Murmeln wurde laut. Jeder hatte gesehen, wie Dreyer die Dreschwalzen blockiert hatte.
»Wenn Sie sich nützlich machen wollen, Copeland«, sagte Dreyer, »warum aktivieren Sie dann nicht Ihr KRI? Wir könnten ihre Informationen und Ratschläge gut gebrauchen.«
»Zeitverschwendung. Die niedere Gravitation scheint ihm zu schaden, ich kann nur noch einen Satz empfangen, der ständig wiederholt wird: ›Alles geschieht freiwillig, die Katastrophe ist der Wille der Massen. Alles geschieht freiwillig, die Katastrophe ist der Wille der Massen.‹ Immer wieder.«
Die Fluoreszenzlichter flackerten, der eiförmige schwarze Generator in der Ecke keuchte und stotterte, dann summte er wieder. Was den Generator auch antreiben mochte, es ging zur Neige.
Der Generatorraum war kaum groß genug für die dreißig Menschen. Die Rohre, Räder und Ventile waren einheitlich grau bemalt und standen in gefährlichen Winkeln vor. »Wenn der Sturm erneut losbricht, wird es hier drinnen nicht sicher sein. Ich würde gerne etwas essen, aber ich glaube, wir warten besser, bis der Wind sich gelegt

hat«, sagte Dreyer. »Gehen wir vorerst in den Kojenraum.« Trotz seiner Müdigkeit überkam ihn eine gewisse Beschwingtheit.
Copeland schwebte zusammengekauert, mit überkreuzten Beinen und geschlossenen Augen. Er schmollte.
Alle anderen folgten Dreyer nach unten. Sie banden sich an Rohren fest und sprachen Rettungspläne durch. Aber es waren noch keine fünfzehn Minuten ihrer Diskussion vergangen, als der Sturm erneut zuschlug.
Dieses Mal dauerte es viel länger.
Den meisten wurde es übel, die Luft stank nach Erbrochenem.
Eine junge Frau, die nicht richtig festgebunden gewesen war, hatte sich einen Arm gebrochen, um den sich später eine Krankenschwester kümmerte.
Ein alter Mann starb an Herzversagen.
Als der Sturm nachließ, organisierte sich die Gruppe verhältnismäßig rasch und mit bemerkenswert wenigen Reibereien. Dreyer wurde zum provisorischen Anführer gewählt.
Dreyer war von der in der Gruppe herrschenden Freundlichkeit überrascht. Es war, als verstünden alle ihr gemeinsames Schicksal. Gruppenintuition.
Dreyer erinnerte sich: *Alles geschieht freiwillig, die Katastrophe ist der Wille der Massen.*
Niemand schlug vor, eine Rückkehr nach Portland zu versuchen.
Sie trieben nach Süden.

3

Die Sonne ging unter, ging auf und ging wieder unter. Daran konnten sie erkennen, daß die nachlassende Schwerkraft nicht etwa aus einer Verlangsamung der Erdrotation herrührte.
Emmy war der Meinung, daß eine unbekannte Kraft, eine Massenpsychose oder kollektives Unverständnis, ihr Spiel mit der Erde trieb. Sie testete die Menschen, prüfte sie und rüttelte sie aus Dekadenz und Müßigkeit auf.
Diese Theorie war so plausibel, daß Dreyer fast mit ihr zufrieden war.
Wochen vergingen. Nach anfänglichen Turbulenzen und dichtem Nebel wurde das Wetter langsam freundlicher.
Dreyer fand die Bedienungsanleitung der Erntemaschine und das

Bordbuch, was sich als außerordentliche Hilfe erwies. Er rettete einen Kugelschreiber und beschloß daher, das Bordbuch weiterzuführen. Sein erster Eintrag war:
»24. August. Die Lebensmittel gingen zu Ende. Bevor wir das Treibgut draußen ernteten, knurrten unsere Mägen vor Hunger. Wir haben gelernt, die vorbeischwebenden Tiere, die noch nicht so lange tot sind und deren Fleisch daher noch hinreichend frisch ist, zu essen. Wir haben inzwischen eine Methode gefunden, sie zu kochen, aber zunächst hatten wir versucht, sie roh zu essen... Wir haben Segel aus Stoff gemacht und ein riesiges Ruder gebaut. Bromberg, früher Besitzer einer Jacht, wurde unser Steuermann.« Sie trieben immer weiter nach Süden, wichen aufgrund unausgesprochener Übereinkunft Turbulenzen und großen Ansammlungen von Treibgut über Städten aus.
»26. August. Gelegentlich hören wir Gewehrfeuer, sind aber bisher nur einer weiteren Gruppe von Menschen begegnet: vier Frauen in einem noch funktionsfähigen Luftwagen. Wir haben sie aufgenommen, was die Zahl an Bord unserer Erntemaschine auf vierzehn Frauen und achtzehn Männer erhöht, von denen die meisten um die Zwanzig sind, kaum einer ist jenseits der Mitte des Lebens. Zudem ist ein zehnjähriger Junge bei uns, der ein herrliches Leben hat – er vermißt seine Eltern überhaupt nicht.«
Sie fanden Leichen wie endlose Reihen von Meilensteinen.
Dreyer war in einem abgewetzten Stuhl unter der Observatoriumskuppel festgeschnallt, als Emmy ihm die Nachricht von Copelands Selbstmord brachte. »Er hat sich mit einem Stromschlag umgebracht«, berichtete sie. »An der Steckdose im Kojenraum. Er sagte uns, daß er es tun würde, aber wir glaubten ihm nicht. Eine Schande.«
Dreyer reagierte kaum. Copeland war nutzlos gewesen. Copeland hatte sich geweigert, draußen zu arbeiten, aber an das Klaustrophobie erzeugende Innere der Erntemaschine gebunden, hatte er Depressionen und semikatatonische Anfälle bekommen.
Dreyer löste die Gurte und schwebte vom Sessel empor, um Emmy zu umarmen. Sie begann zu weinen. »Er sah scheußlich aus, Richard. Ich habe seinen Puls gefühlt. Er ist tot. Ich glaube, inzwischen sollte ich mich an den Tod gewöhnt haben. Er begegnet uns so oft...«
»Wahrhaftig«, sagte eine Stimme hinter Dreyer, »Sie sollten an den Tod gewöhnt sein, denn Sie haben diese Situation mit herbeigeführt.«

Emmy, die über Dreyers Schulter blickte, schrie auf und grub die Finger in seinen Arm.
Dreyer drehte sich um.
Copeland (Copeland?) schwebte durch den Schacht in die Kontrollkuppel. Sein Gesicht war dunkelrot, seine Augen funkelten. Sein Gesichtsausdruck – kalte Neugier, habgierig, aber kalt – war ungewöhnlich für ihn. Er hielt sich mit einer Hand fest und schwebte über dem Schacht. »Ich bin nicht Copeland«, sagte er. Die Stimme klang anders. Weniger verteidigend, selbstbewußter. »Ich bin KRI 7655. Als Copeland sich selbst tötete, aktivierte er mich – der elektrische Schlag ist dafür verantwortlich. Ich habe seinen Körper übernommen, als er starb. Ich habe sein Herz wieder zum Schlagen gebracht. Er ist tot und vergessen. Ich verfüge über seine Erinnerungen, aber ich bin KRI 7655. Ich kontrolliere seinen Metabolismus, seine Drüsen, seine neurologischen Funktionen – das tat ich immer, wenn er diesen Teil von mir aktivierte. Das ist einer der Hauptgründe, weshalb Enzyklopersonen kleinere Mißbildungen in Kauf nehmen, Mr. Dreyer: gute Gesundheit. Ich bin ein elektronisches Yoga, ich habe seinen Körper so beeinflußt, daß er immer in gutem Zustand war. Enzyklopersonen leben aus diesem Grund länger als andere Menschen. Hier bin ich also. Ich hoffe, Sie haben keine Einwände gegen eine Mikromaschine in Ihrer Gruppe.«
Dreyer und Emmy blieben gespannt. Schließlich entspannte Emmy sich und lachte. »Du... du hast uns fürchterlich erschreckt. Wir dachten schon, die Toten würden aufstehen. Selbstverständlich bist du willkommen.«
»Ja, sicher«, stimmte Dreyer zu. »Wir werden dich Krie nennen. Wenn du nichts dagegen hast. Äh... hast du eine Ahnung...«
»Ja, habe ich. Sie.« Das KRI-Aktivierungslicht leuchtete an seinem Schädel auf.
»Ich?«
»Sie alle... Sie wollten nach der Ursache des Schwerkraftschwundes fragen. Sie alle, die ganze Menschheit. Gelegentlich erlaubte mir Copeland Funkkontakt mit anderen KRIs, deren Wirte einwilligten. Wir konferierten. Wir wußten, daß dies geschehen würde, wenn wir auch bis zum letzten Augenblick nicht erfahren konnten, in welcher Form. Wir können das Unterbewußtsein überwachen, wie ich vielleicht erläutern sollte. Und da wir hin und wieder miteinander in Kontakt stehen, kennen wir die Richtigkeit von Jungs Theorie des kollektiven Unterbewußtseins. In den tiefsten Tiefen des Unterbewußt-

seins sind alle Gehirne der Menschheit miteinander verbunden. Als die Bevölkerungssituation intolerabel wurde und der resultierende Druck in einem Weltkrieg sein Ventil suchte, da reagierte das kollektive Unterbewußtsein und löste einen speziesweiten Instinkt aus. Die Welt mußte sich verändern – radikal und rasch –, und die Menschheit hat fast zwei Fünftel ihrer Art geopfert, und viele werden noch dazukommen, wenn in den weniger anpassungsfähigen Kulturen wieder mittelalterliche Zustände einkehren. Unsere Spezies hat eine unterbewußte Massenentscheidung gefällt, dieses Opfer zu bringen. Geschehen konnte es durch Freisetzung eines schlafenden Talents der Psyche. Einer Form der Telekinese. Die elektrische Umwandlung von Milliarden Gehirnen hat die Schwerkraft der Erde teilweise aufgehoben. Die Auswirkungen werden frühestens in einigen Monaten nachlassen. Die Sache ist zu groß, zu viele unwissende Leute sind mit im Spiel, die verändernd auf die Situation einwirken. Wir werden warten müssen, bis der Effekt von sich aus nachläßt, falls er das überhaupt tut. Wenn er nachläßt, wird er, so vermute ich, von einem anderen seltsamen Phänomen abgelöst werden... Mehr will ich nicht sagen: Unzulängliche Daten existieren für jede Möglichkeit, aber nur wenige verläßliche Informationen. Wir hatten keine andere Wahl – entweder einen Weltkrieg oder *dies*.«

Das alles sagte er sehr ruhig und nüchtern. Dreyer und Emmy waren wie vor den Kopf gestoßen. Dreyer wollte sich setzen. Das war unmöglich.

»Ihr müßt nicht so schockiert dreinschauen«, sagte Krie. »Das bedeutet nicht das Ende der Welt. Alles ist nur zum Besten. Alles geschieht freiwillig...«

4

»29. August. In den vergangenen Tagen hatten wir zwei weitere Verluste, darunter das Opfer eines Herzanfalls. Und ein Junge wurde tobsüchtig. Ein geistig instabiles Kind. Er hatte die Veranlagung schon eine Weile in sich, und als er Krie sah, nachdem er Copeland sterben gesehen hatte, kippte er endgültig um. Ich bin überrascht, daß nicht mehr solche Ereignisse eintreten. Aber diese verblüffende Anpassung stimmt gut mit der Theorie von der Massentelekinese überein, die Krie uns vortrug. Jeder akzeptierte sie augenblicklich. Unglaublich. Ein weiterer Beweis für ihre Gültigkeit. Unsere Erkenntnis unterbe-

wußter Ströme... Der übergeschnappte Junge mußte von Bord geschafft werden. Vielleicht lebt er noch dort draußen, aber das bezweifle ich.«
Emmy und Dreyer schliefen gemeinsam in der Kontrollkuppel. Dreyer lag mit ihr in einer Hängematte. Er hatte einen Arm um sie gelegt und betrachtete die herrlichen Geister, die die verminderte Schwerkraft aus den Wolken machte. Und den unendlichen Schimmer des Horizonts bei Sonnenuntergang, und die Art, wie die Wolkenschatten die rollenden Hügel tief unten wie ein Meer erscheinen ließen. Bei solchen Gelegenheiten spürte er immer, wie unglücklich er am Boden in der Stadt gewesen war. An die Erde gefesselt!
»2. September. Am Tag vor dem Großen Gewichtsverlust hatte ich Talls Zirkus besucht. Vor dem Auditorium hatten sie einen riesigen senffarbenen Fesselballon verzurrt, der im Stil vergangener Jahrhunderte reich verziert war. Darunter baumelte ein Korb. Seltsamerweise gefiel das der Menge. Sie alle sahen gefesselt und ehrfürchtig zu, wie der Ballon aufstieg. Bis heute habe ich mich gefragt, weshalb die Leute von diesem Anblick so ergriffen waren. Schließlich hat jeder von ihnen schon mal ein fliegendes Vehikel benützt. Komplizierte Raumfahrzeuge schossen viele Male täglich über den Himmel. Warum fesselte also ausgerechnet ein primitives Gefährt mit einem so einfachen Antrieb wie Heißluft ihre Aufmerksamkeit? Damals verwirrte mich das, aber nun, nach Kries Enthüllungen, ist es so klar wie die Stratosphäre. Das Verlangen nach erkundbaren Grenzen, nach neuen Horizonten, nach der Anmut und Urtümlichkeit des Windes, das ist der Grund, weswegen wir jetzt hier sind. Das, und das Überleben der ganzen Spezies. Der Zirkusballon folgte der Strömung der Winde, der Natur, unwissend gegenüber der Technologie und trotzig gegenüber dem Willen des menschlichen Steuermannes. Die Freiheit, sich dem Wind hinzugeben.«
Nachdem er sich den Winden hingegeben hatte, verlor Dreyer jegliches Zeitgefühl. Zeit konnte nur nach der gesunden Rötung seiner Wangen, den Bewegungen seiner Muskeln, dem Abnehmen seiner Taille und der Zunahme seiner Hingabe an Emmy gemessen werden.
»3. September. Krie war bisher von geringem Nutzen, aber das ist die einzige Ähnlichkeit mit Copeland. Er hat uns mit einigen wichtigen Informationen über die Wetterbeschaffenheit und die elektronische Ausrüstung versorgt. Größtenteils beobachtet er den Himmel oder uns. Er spricht nur selten. Er paßt auf.

Ich bin derjenige, der unsere Streitigkeiten schlichtet, und ich verteile auch die Lebensmittel und Vorräte und regle innere Angelegenheiten. Aber Emmy leitete die Löschaktionen, nachdem der Lagerraum in Flammen aufgegangen war und ich mit Grippe im Fieber lag. Emmy wartete das Wasserbeschaffungs- und Reinigungssystem, wenn auch mit Unterstützung von Krie. Der Generator wird mit Synthadiesel angetrieben, und Emmy stellte die ersten Suchtrupps auf die Beine, die Synthadiesel aus im Treibgut schwebenden Fahrzeugen organisierten.«

Und schließlich war es auch Emmy, die Dreyer in die Kunst der Liebe einführte. Er kannte Sex, allerdings keinen Sex, der mit Liebe zu tun hatte. Doch nun, wo das Gewicht seines Körpers drastisch verringert und damit die Anstrengungen gleich Null waren, lernte er zum erstenmal, was Entspannen bedeutete. Wirklich entspannen. Jahrelang war er sexuell verklemmt gewesen. Mit dem Verschwinden von Schwerkraft und Zivilisation verlor er auch die alten somatischen Hemmungen, sein Vermögen zur Ekstase brach durch, und er ließ ihm freien Lauf. In der verminderten Schwerkraft konnten sie sich praktisch aus jedem Winkel nähern, was den Sex zu einer völlig neuen Kunst machte. Mit der Luft als Bett bewegten sie sich wie Nerze, die in einem Bach spielen.

In der Schwerelosigkeit erinnerte er sich daran und verstand es auch, daß sein Körper größtenteils aus Flüssigkeit bestand. Emmy Durant und Richard Dreyer paarten sich wie zwei Regentropfen, die zusammenfließen.

Hinterher betete Dreyer immer zu Gott, daß die Schwerkraft nicht zurückkäme und sie nicht wieder zur fesselnden Erde zurückkehren müßten.

5

Früh im September wurde Dreyer im Morgengrauen von einer alarmierenden Schwere, einem unnatürlichen Druck in seinen Eingeweiden, aufgeweckt. Er atmete schwer, und an seiner Seite keuchte Emmy. Er richtete sich in eine sitzende Position auf, wobei er Arme und Beine unwillkürlich spreizte. Das Netz der Hängematte hing durch. Die dünnen Fädchen lösten sich eines nach dem anderen unter der ungewohnten Belastung.

Auch Emmy richtete sich auf, und er konnte erkennen, daß das Netz

der Hängematte ein rotes Muster in ihren hellen Rücken eingedrückt hatte. Ihr Haar hing herab, ihre Brüste sanken nach unten, sogar ihre Augen schienen hervorzuquellen.
Dreyer und Emmy sahen einander an und umarmten sich. Sie wußten, daß die Erntemaschine sank.
Dreyers Herz wurde schwer.
Die Schwerkraft kam zurück.
Sie blickten gemeinsam durch die Observatoriumskuppel und sahen die näher kommenden Wälder.
Es handelte sich um einen Pinienwald in den wasserlosen Bergen Südkaliforniens. Die Bäume standen weit auseinander. Ein Bächlein teilte den Bergkamm neben einer verlassenen Blockhütte, umrahmt von gelbem Gras und purpurnem Salbei. Ihr neues Zuhause.
Der neue Tag brach bereits an, die Sonne schien. Noah hätte sich diesen Ort gewiß nicht ausgesucht, dachte Dreyer.
Aus den unteren Räumlichkeiten drangen erschrockene und entzückte Schreie herauf. Ihre Welt kehrte zurück. Irgendwie wußte Dreyer, daß es langsam geschehen würde. Sie würden auf dem Kissen des elektrischen Feldes der Erntemaschine wie eine Feder zu Boden sinken.
Trotzdem sanken sie.
Er wandte sich Emmy zu, und sie liebten sich ein letztes Mal in der Schwerelosigkeit, intensiv, traurig, bemüht, es so lange wie möglich hinauszuzögern.
Während Dreyers Höhepunkt rissen die letzten Fäden der Hängematte unter ihnen, und sie fielen zu Boden.
Emmy lachte.
Dreyer begann zu schluchzen.

6

Dreyer sah in den Teich, der die beiden Hügel voneinander trennte. Das Aroma des brackigen Wassers hing schwer in der Luft. Er saß auf einer moosbedeckten Bank und zupfte Dornen aus seinem Overall. Kleine Tiere und Vögel raschelten im Gebüsch.
Nichts hat sich verändert, dachte er. Alles ist noch genau so, wie es vor dem Großen Gewichtsverlust war. Zwar gibt es nun weniger von uns, aber wir sind immer noch dieselben. Und die Tiere, die Natur – sie scheinen kaum etwas bemerkt zu haben.

Libellen huschten wie Jadejuwelen vorüber. Er beneidete sie.
Er bildete sich ein, das Gewicht der Hügel spüren zu können, ihre Masse erdrückte ihn.
Die Erde hatte ihn verführt. Er wußte, er sollte sich zu den anderen in der Hütte begeben, um sich an den Reparaturarbeiten zu beteiligen, damit ein hinreichender Schutz für ihre Gemeinschaft entstehen konnte. Aber er war allein mit seinen Depressionen hierhergekommen – er war aus der gelandeten Erntemaschine gerannt und durch Gestrüpp und Unterholz bis zu diesem Brackwassertümpel geflohen. Wie ein menschlicher Bodensatz.
Er starrte in den Teich und dessen faulige, grüne Tiefen, sah Froschlaich und Wasserpflanzen, Schleim und Schlamm, und alles war schwerer, als eine Flüssigkeit sein durfte. Er sah bis zu dem dunklen Grund und spürte das wiedererlangte Gewicht der Erde, das ihn tiefer und tiefer hinabzog. Er mußte sich hinunterbeugen, bis sein Gesicht nur noch wenige Zentimeter von der grünlichen Oberfläche entfernt war, und er wußte, daß es nur noch eine Frage der Zeit war, bis er ertrinken würde. Das Gewicht der Erde zog ihn hinab, und er sagte laut: »Nichts hat sich verändert.«
»Wir alle haben uns verändert«, ertönte eine Stimme hinter ihm. Emmys Stimme.
Dreyer richtete sich auf und wandte sich um. Krie und Emmy standen nur wenige Meter entfernt. Bei ihnen befand sich Bromberg, der Steuermann, ein Mann mit sandfarbenem Haar und freundlich blikkenden Augen. Nur ihre Oberkörper waren hinter den Büschen sichtbar.
Dann schwebten alle drei beinahe schwerelos in die Höhe.
Doch auf Dreyers Schulter lastete immer noch ein immenses Gewicht. »Wie macht ihr das?« fragte er. »Das ist ungerecht.«
»Die Fähigkeit ist erwacht, Dreyer«, sagte Bromberg. »Die anfänglichen Exzesse sind vorüber. Jetzt können wir es kontrollieren.«
»Die schlummernde Fähigkeit, die Schwerkraft teilweise auszuschalten«, erklärte Krie. »Bei uns allen. Auch bei Ihnen. *Alles* wird sich verändern. Nun können wir uns rascher erholen und so ein Dunkles Zeitalter verhindern.«
Dreyers Kehle war trocken. Ein einzelner Sonnenstrahl fand seinen Weg durch das dichte Blätterdach und schien ihm auf die Stirn. Sein Kopf dröhnte. »Nein. Ich nicht. Ich kann es nicht. Ich spüre überhaupt nichts. Abgesehen von Kopfschmerzen. Und meinem Gewicht. Schwerkraft. Gewicht.«

Der Boden unter seinen Füßen machte Anstalten, ihn zu verschlingen; Erde, Torf und Schlamm stiegen höher und umfingen seine Waden, seine Knie, seine Schenkel. »Helft mir!« Es reichte bereits bis an seine Hüften. »Ich versinke!« Die Erde bewegte sich aus eigenem Antrieb weiter nach oben.
»Hilf *dir selbst*, Richard«, sagte Emmy sanft.
Der Morast reichte ihm bis zur Taille – Dreyer strampelte. Doch es war, als würde er in tödlichem Treibsand stecken. »Hilfe...«
»Hoch! Hoch, Dreyer!« rief Bromberg.
Und dann war der Druck von seinen Beinen verschwunden. Und das Gewicht lastete nicht mehr auf seinen Schultern. Er schwebte neunzig Zentimeter über dem Tümpel. Eine andere Art von Gewicht wurde von seiner Brust genommen. »Ihr... ihr hebt mich nicht an?«
»Nein«, sagte Krie. »Wir erweckten den Anschein, als würde der Schlamm aufsteigen und dich verschlucken. Aber jetzt hältst du dich allein in der Höhe. Sei vorsichtig«, fügte Krie dann noch hinzu. »Man muß ein paar Tricks lernen. Das Feld wird Gegenstände mit dir anheben, wenn du nicht vorsichtig bist. Es wird mit den Feldern anderer in deiner Nähe interferieren. Du mußt lernen, dich richtig zu verhalten...«
Dreyer strengte seinen Willen an – und stieg höher. Alle stiegen sie höher.
Während sie über dem Erdboden schwebten, dachte er, daß er ihnen vielleicht danken sollte. Doch dann sah er die halbverfallene Hütte unter sich und schwebte lächelnd darauf zu. »Es gibt viel zu tun«, sagte er lächelnd. »Am besten fangen wir gleich an.«

Zweites Buch

Im Innern: Der Wind der Erinnerung weht Gesichter vorüber

1

Dreyer betrachtete lachend die Trümmer von Los Angeles.
»Das Komische daran ist«, sagte Emmy, die nicht lachte, »daß wir uns das selbst angetan haben. Das kollektive Unterbewußtsein ist dafür verantwortlich, und wir alle sind ein Teil davon.«
»Eine Apokalypse oder die andere«, grölte Dreyer fröhlich. »Es war unvermeidlich. Nur die Frage war ungeklärt, ob wir untergehen würden. Hätte auch ein Atomkrieg sein können, wie du weißt.«
»Auch so sind viele Menschen gestorben«, sagte sie emotionslos. »Aber ich glaube, es ist alles zum...« Sie konnte die hohle Phrase nicht beenden, weil sie selbst nicht daran glaubte.
Dreyer schwebte sanft zu ihr empor und legte noch viel sanfter den Arm um ihre Taille.
Sie schwebten etwa vierhundert Meter über den Straßen, die warmen Aufwinde strichen über sie dahin. Das zerschmetterte Rückgrat der Avenue war mit durcheinandergewirbelten Autos und Müllrückständen übersät. Hier und da konnte man, seltsam fehl am Platze, Überbleibsel der zurückgegangenen Flut sehen: ein zerschelltes Dingi, ausgetrocknete Streifen Seetang, Treibholz.
»Ich frage mich, ob die Tiere aufsteigen können. Das würde mich interessieren«, sagte Dreyer laut zu sich, um Emmys Aufmerksamkeit von den Verwüstungen unten abzulenken.
»Ich... ich glaube kaum«, murmelte sie. »Krie sagte, es trat im menschlichen Gruppengeist alles erst durch die instinktiv erahnte Gefahr zutage. Dem Punkt, an dem wir als Spezies im ganzen erkannt hatten, daß etwas Schreckliches mit uns geschehen würde, wenn wir uns nicht *en masse* zum nächsten Stadium der äh...«
»... psychischen Entwicklung weiterentwickeln würden. Genau so hat er es genannt.«
»Genau. Und die Tiere haben keine Ebene der psychischen Entwicklung erreicht, auf der sie sich als ›Spezies‹ sehen, soweit wir das überblicken können – und es sei dahingestellt, ob sie überhaupt über ein Unterbewußtsein, kollektiv oder sonstwie, verfügen. Trotzdem. Es muß eine geistige Einheit existieren. Außerdem sagt Krie, die Ge-

meinschaft der ...« – hier verwehte der Wind ihre Worte – »... durch das Multimedium. Jeder sieht dieselben verdammten Medienbilder fast zur gleichen Zeit, synchron mit den anderen. Tiere verfügen nicht über ein solches Medium.«
»Wie sieht es mit geistig Zurückgebliebenen, Irren und Kriminellen aus?«
»Ich habe das fürchterliche Gefühl«, sagte sie und blies die Wangen auf, »daß die auch hier oben sind. *Und* das Militär. Und die sind, wenn du mich fragst, noch schlimmer als Kriminelle und Irre zusammen. Denn die werden versuchen, alles wieder so zu organisieren, daß sie an der Macht bleiben.«
»Vielleicht. Ich frage mich, was mit den nuklearen Verteidigungsanlagen geschehen ist. Ob die Interkontinentalraketen abgefeuert werden könnten.«
Sie zögerte und betrachtete ihn mit einem scheuen Lächeln von der Seite. »Fragst du mich das alles, damit ich wieder praktisch denken kann? Weil du weißt, wie deprimiert ich bin?«
»Oh ...« Er unterdrückte ein Grinsen. »Nicht ganz. Nun, ich meine, es ist schon irgendwie relevant, weißt du. Wir müssen eben den Tatsachen ins Auge sehen.«
Sie lächelte, dann kicherte sie und legte eine Hand auf seine, die immer noch auf ihrer Hüfte ruhte. »Tja, die ICBMs, hä? Das Thema hast du angeschnitten.«
»Ich habe diesbezüglich eine Theorie«, sagte Dreyer. »Ich glaube, irgendwie sind sie nun alle entwaffnet. Ich will damit sagen, das alles schien doch nach einer Art ... einer unterbewußten Blaupause zu verlaufen, richtig? Als wäre ein großangelegter Plan angelaufen. Und ich habe das Gefühl – und Gott weiß, wir müssen nun viel mehr auf unsere inneren Stimmen hören –, das *Gefühl*, als hätten wir alle ballistischen Raketen unschädlich gemacht. Mit Telekinese. Mit dem Aufsteigen. Aber ich gebe mich natürlich keinerlei Illusionen über das Utopia hin, das über Nacht machbar ist. Ich traue den Russen überhaupt nicht. Sie könnten ihre Waffen wieder aufbauen oder uns auf andere Weise angreifen. Mit der Telekinese.«
»*Wenn* das Phänomen weltweit ist.«
»Das ist es«, sagte er mit grimmigem Ernst. »Kannst du es denn nicht dort draußen spüren?«
Sie dachte einen Augenblick nach, dann nickte sie.

2

»Herzlich willkommen!« rief Bromberg. Er kauerte über dem Kamin der Hütte und warf mit einer Kelle Mörtel an die untere Wand. Emmy ließ sich zu Boden sinken und winkte Dreyer zu, worauf sie etwas unsicher zitternd die Hütte betrat. Dreyer schoß aufrecht zum Dachgiebel, indem er seinen Blick auf dessen äußerste Spitze gerichtet hielt. Wie jedesmal, wenn er auf ein nahes, festes Objekt zuhielt, hatte er das verwirrende Gefühl, daß es eigentlich auf ihn zukam, während die Welt sich unter ihm drehte. Er schoß etwas über das Dach hinaus, und Bromberg hielt ihn grinsend fest und stützte ihn. Dreyer spürte das Rascheln und Knistern, als ihre Aufwärts-Felder sich berührten und zusammenwirkten, um beiden Halt zu verschaffen. Es folgte ein kurzer, fast peinlicher Ausbruch quasi-sexueller Wonne, während ihre Felder eins wurden – doch das ging vorüber, nachdem Dreyer wieder auf den Füßen stand und sich am Kaminsims festhielt. Seine Sohlen berührten den Firstbalken des Daches. »Vorsichtig«, mahnte Bromberg spöttisch-besorgt, »wirf mir den gottverdammten Kamin nicht wieder um.«
Ein zu einem Viertel voller Eimer mit Mörtel war mittels eines Hakens an seinem Gürtel befestigt, während er die Kelle wie einen Zeremonienstab in seinen großen, rauhen Pranken hielt. Er entblößte seine gelben Zähne zu einem weiteren Grinsen. »Schaust mich komisch an, Dick.«
»Ich frage mich nur, warum du den Eimer mit deinem Gürtel festhältst, und nicht mit dem Aufwärts. Und warum du den Mörtel von Hand aufträgst...«
Bromberg kicherte. Er schien fast etwas verärgert. »Weil es so einfacher für mich ist. Ich kann die Kelle zwar mit dem Auf bewegen, aber nicht eben geschickt, wie man das wohl nennt. Kapiert, was ich meine? Vielleicht werde ich mit der Zeit sicherer. Aber... ach, Scheiße, was sollen wir denn sonst mit unseren Händen anfangen, sie... äh...?«
»Verkümmern lassen«, meinte Dreyer.
»Genau das. Krie sagte...«
»Krie sagte, Krie sagte. Er sagt vieles. Manchmal frage ich mich, ob wir für diesen Roboter arbeiten!« Dreyers Vorwurf war humorig gemeint, aber Bromberg betrachtete ihn stirnrunzelnd.
»Hör zu, Dick, ich halte es nicht für besonders gut, so über Krie zu sprechen. Schließlich war er ja derjenige, der dem Großen Gewichts-

verlust im nachhinein einen gewissen Sinn gab. Vielleicht hat er uns damit alle vor dem Verrücktwerden gerettet. Dabei sind ihm die Menschen, wenigstens manche, etwas suspekt, weil er doch selbst eine halbe Maschine ist. Aber er ist nicht einfach nur ein Roboter, er ist das, was man einen Cyborg nennt.« Er wandte sich achselzuckend wieder seiner Arbeit am Kamin zu. »Jedenfalls meinte er, wir sollten unsere Hände und Füße so oft wie das Auf benützen, da das Auf eine Funktion unserer physischen Gesundheit ist. Das hat er immer wieder gesagt. ›Offensichtlich ist das Auf eine Funktion unseres physischen ...‹ äh, er sagte: ›physischen Selbst‹, glaube ich, und nicht ›Gesundheit‹. Jedenfalls hat er das gemeint. Als wären wir organische Batterien, die gesund und kräftig und muskulös bleiben müssen, um dauerhaft funktionieren zu können. Außerdem *gefällt* es mir, mit den Händen zu arbeiten.«

»Tut mir leid«, sagte Dreyer zerknirscht. »Ist ja gut, verdammt.« Er hatte sich den derben Sprachstil des Steuermannes angewöhnt, um akzeptiert zu werden. *Du bist ein guter Politiker, Kumpel Richard,* dachte er.

»Ich nehme an, ihr habt, äh, nichts Weltbewegendes in L. A. gefunden, was?«

War »weltbewegend« ein Wortspiel? fragte sich Dreyer. »Nöö – nur das, was wir erwartet hatten. Überall dieselben Verwüstungen. Wir sahen nichts Lebendes am Boden. Mit Ausnahme von ein paar Hunden. Ein paar verblüffte Vögel haben wir auch gesehen.« Er lachte angesichts der Erinnerung. »Ich möchte schwören, daß uns diese Ente auf dem Weg nach Süden mit einem Blick angesehen hatte, der besagte: ›Was, zum Teufel, treibt *ihr* denn hier oben? Menschen können nicht fliegen!‹« Sie lachten beide.

»Ja, weißt du, manchmal werde ich etwas zittrig und beginne, an mir selbst zu zweifeln. Nur einen Augenblick. Und wenn ich das tue, dann komme ich ins Trudeln. Verliere meine Auftriebskraft. Als ich noch ein Kind war, da gab's diese Trickfilmserie, *Tweety und Silvester* oder so ähnlich. Die Katze flog von einem Ast herunter und verfolgte Tweety, den Vogel, und der Vogel sagte einfach: ›Dumme Katze! Katzen können nicht fliegen!‹ Und die Katze antwortete: ›Wirklich nicht?‹ Und dann kreischte sie dieses *Uh-oh!* und stürzte ab. Einfach so!« Sie lachten sich nervös an.

»Klar«, sagte Dreyer, »auf das Selbstbewußtsein kommt es an.« Er zitterte, was vielleicht mit daran lag, daß die Sonne eben hinter den Baumspitzen untergegangen war, die den Berg im Westen krönten.

Plötzlich fielen lange Schatten. »Selbstbewußtsein...« murmelte er. Er blinzelte den letzten Strahlen der untergehenden Sonne nach, seufzte, dann kniff er die Augen zusammen, denn die Bewegung tat seinem Sonnenbrand weh, an den er erst durch den Schmerz wieder erinnert wurde. Es würde ein höllischer Sonnenbrand werden, das konnte er jetzt schon sagen. Seine Haut fühlte sich wie im Fieber an. »Ich hätte einen Hut aufsetzen und die Haut einölen sollen«, sagte er, zu Brombergs breitem Rücken gewandt. »Bei längeren Reisen in den oberen Luftschichten muß man vorsichtig sein. Man bekommt leicht einen Sonnenbrand, möglicherweise sogar einen Windbrand.« Bromberg grunzte nur. »In der Ferne konnten wir einige Menschen schweben sehen«, fuhr Dreyer fort, ergänzte aber hastig: »Sie kämpften gegeneinander. Sie bewarfen sich mit Gegenständen, daher gingen wir nicht näher ran. Das war alles. Aber kurz bevor wir zurückkamen, hatten wir ein... merkwürdiges Gefühl.«
Nun drehte Bromberg sich um. Er strich sich mit dem Handrücken über die Stirn und verschmierte dabei grauen Mörtel in seinen Brauen. »Das haben wir auch gespürt«, sagte er nickend. »Wie die Anwesenheit von etwas Seltsamem. Krie meinte, es habe sich um ein großes Gedankenfeld gehandelt.«
Dreyer schnaubte leise. *Krie hat gesagt, Krie hat gesagt, Krie, Krie und immer wieder Krie,* dachte er. Er fragte sich, ob er eifersüchtig wurde, weil die Enzykloperson eine immer bedeutendere Rolle in ihrer kleinen Gemeinschaft zu spielen begann. Vielleicht würde Krie Dreyers Führungsposition für sich beanspruchen. Und wenn schon, sollte er doch.
Und doch schmerzte ihn diese Vorstellung und nagte ständig in ihm.
Er zuckte zurück, als Bromberg sagte: »Krie hält es für eine Art psychischen Wind, eine Art Unruhe, verursacht von allen geistigen Auf-Einsätzen, die stattfinden. Eine Art Reaktion der breiten Masse, die sich eben *en masse* mit dem Schock abfindet.«
Er sagte *en masse,* bemerkte Dreyer, was Emmy auch immer tat, wenn sie Krie zitierte.
»Komisch«, fuhr Bromberg mit seltsamer Manier fort – seltsam, weil uncharakteristisch introvertiert. » Komisch, die Dinge sind nun alle viel... sensitiver. Was man zweites Gesicht und außersinnliche Wahrnehmungen nennt, ist inzwischen viel stärker ausgeprägt. Nicht direkt Gedankenlesen, aber...« Er starrte Dreyer an.
»Ist mir auch schon aufgefallen«, sagte Dreyer. »Aber das ist doch nur natürlich.«

Er betrachtete ein junges Pärchen, das verspielt wie summende Bienen über den Wald geflogen kam. Sie verloren einzelne Hölzchen aus ihren Brennholzladungen. Ohne Warnung stieg er vom Dach auf und war erheitert, weil er erst aufwärts, dann abwärts fliegen mußte, wenn er zu Boden schweben wollte. *Man müßte Türen im Dach anbringen*, dachte er. Im Innern der Hütte war es warm und angenehm. Die Luft roch nach dem Kerosin der Lampen, die in den Ecken aufgehängt worden waren. Grobe Betten aus behauenen Stämmen und über Kreuz geknüpften Segeltuchstreifen (an den Betten derer, die hin und wieder im Schlaf schwebten, waren Sicherheitsgurte angebracht) standen an der längeren Wand. Später, wenn sie die Hütte weiter ausbauten, konnten sie sich Gedanken über Einzelzimmer und Privatsphäre machen. Dreyer, dem Anführer, hatte man die Speicherkammer über dem Vorratsraum gegeben, die er mit Emmy teilte. Sie arbeitete gerade mit einer anderen Frau am Sägebock und hielt ein Brett fest, mit dem die andere gerade beschäftigt war. Die beiden mengten der kerosinhaltigen Luft auch noch den Geruch nach Sägemehl bei. Drei Kinder schwebten unter der Decke. Ein älterer Mann paßte auf sie auf, der immer dann besorgt die Stirn runzelte, wenn sie ihr Auf zu schnell oder zu sorglos einsetzten.

Der Junge und das Mädchen, die Feuerholz neben dem Kamin aufschichteten, stritten spielerisch miteinander. Das Mädchen sagte: »Ja, aber wir kämpfen gegen die Indianer. Daß sie vor dem Großen Gewichtsverlust freundlich waren, bedeutet noch lange nicht, daß sie es nun auch noch sind, wo die Regierung zusammengebrochen ist.«

»Fliegende, grölende Indianer. Wahrscheinlich betrunken. Ich frage mich, welche Auswirkung das Trinken auf das Auf hat... ich hätte die Indianer lieber auf meiner Seite.«

»Ich auch«, sagte Dreyer näher tretend. Er sprach absichtlich laut, um sein Näherkommen anzukündigen. »In diesen Jagdgründen könnten sie nützlich sein. Es könnte sich ganz im Ernst als gute Idee erweisen, welche zu suchen.«

Sie lächelten ihn an, jemand lachte. Der alte George schwebte von den Dachsparren herunter und begann eine Diskussion darüber, wie man am besten mit den Indianern Kontakt aufnehmen könnte.

3

Es kam in der Nacht, als sie schliefen, und war von Entsetzen und Kälte begleitet.
Später waren sich alle nur über ein Gefühl im klaren: das Gefühl von Kälte, bis ins Mark dringender Kälte, die sich vom Rückgrat ausbreitete. Und dann kamen die Alpträume. Einige der Alpträume wurden von allen geteilt, einige waren individuell. Emmy und Dreyer hatten denselben Alptraum: Sie waren mit Bromberg und Roland, dem Koch, auf einer Jagdexpedition gewesen. Das war vor zwei Tagen ... Dreyer hatte die Meinung vertreten, sich so lange wie möglich an den Städten schadlos zu halten, um das Überleben zu gewährleisten. Krie dagegen war der Meinung, ein Plündern der leerstehenden Supermärkte brächte unnötige Gefahren mit sich – die Städte hatten sich in risikoreiche Orte verwandelt. Und überhaupt schien es sinnvoll, so unabhängig und selbständig wie möglich zu werden ... Sie hatten keine Waffen, und Dreyer meinte, das Auf zum Töten einzusetzen wäre zu gefährlich, selbst zum Töten in Notwehr. Er ließ sich bei diesem Vorbehalt von Mutmaßungen leiten, die er nicht hinreichend präzisieren konnte, und wurde überstimmt. Er und Emmy waren mit den Jägern aufgebrochen, um sich die Sache anzusehen. Sie schwebten im Schatten von Fichten über einer Lichtung und beobachteten eine breite Furt in einem Bach, die von Tierspuren gezeichnet war, die an Eindrücke in weichem Leder erinnerten.
Sie hatten alles haargenau in ihren Alpträumen durchlebt.
Die Hirschkuh war zum Trinken gekommen. Sie trat mit vorsichtigen, geschmeidigen Bewegungen aus der Deckung ins offene Gelände. Mit ihren großen Augen sah sie sich um, mit dumpfem Blick, aber bebend von mächtigen Instinkten. Ihre Hufe schienen zu winzig, um den massigen Körper tragen zu können. Sie beugte den Kopf und streckte die Schnauze in den Strom ...
Roland, ein bulliger, rotgesichtiger Ex-Marinesoldat, zog sein langes Jagdmesser vom Gürtel und hielt es in der offenen Handfläche in die Höhe. Er starrte es an und sah den stumpfen Schimmer, dann stieg es gehorsam in die Höhe und sank in weitem Bogen nach unten, ein bläulich-silbergraues Blitzen, das im Schatten verschwand, wieder daraus hervorkam und wieder darin verschwand. (Dreyer hatte Roland ins Gesicht geschaut, mußte sich aber von Übelkeit erfüllt hastig abwenden.) Er stieß es direkt in den Nacken der Hirschkuh, rechts neben die Wirbelsäule. Das Blut wirkte sogar aus dieser Entfernung un-

glaublich rot. Die Hirschkuh sprang in die Luft, landete unbeholfen in der Blutlache, verlor die Orientierung und schrie ihren Schmerz hinaus (oder hörten sie das in ihrem Innern?), während sie dahintaumelte, in die Knie ging und von einem Zittern geschüttelt wurde, bei dem sich rotes Blut wie ein öliger Film im klaren Wasser ausbreitete. Ein braun-weißes, lebendiges Bündel wrang durch die eigenen Bewegungen sein Leben aus. »Töten Sie es, Sie Idiot!« brüllte Dreyer.

Dann handelten sie, wohl aus einem unbekannten Instinkt heraus, als Gruppe und griffen mit dem Auf nach dem Tier, die unsichtbaren Hände ihrer mentalen Kräfte schlossen sich wie ein unsichtbares Netz um die Hirschkuh und – das schien der einfachste und schnellste Weg – zerdrückten sie mit der Wucht einer Schrottpresse. Das Tier implodierte, ein blutiges Feuerwerk zeichnete einen Augenblick die Linien ihres gemeinsamen Kraftfeldes nach, ein symmetrisches Gebilde roter Flüssigkeit hing über dem Bach in der Luft und...

Es dauerte zwei Sekunden, bis die Hirschkuh tot war, und das war das schlimmste. Diese Zeitspanne reichte aus, um das Tier unbeschreibliche Schmerzen erdulden zu lassen, von denen einige wie Rückkopplungen durch das Auf-Feld auf sie zurückfielen.

Emmy hielt das Gesicht in den Händen vergraben und zitterte unter Schockeinwirkung, da sie das spürte, was die Hirschkuh gespürt hatte. Glücklicherweise befanden sie sich nur sechs Meter über dem Erdboden, daher wurde niemand ernstlich verletzt, als sie hinabtaumelten. Von einigen Blutergüssen einmal abgesehen, und abgesehen von der Erinnerung an die psychischen Schreie der Hirschkuh.

... Sie durchlebten diesen Schrei, diesen Ausbruch des Schmerzes, immer wieder im Traum, bis sie schließlich von anderen Schreien geweckt wurden, von menschlichem Kreischen. Dreyer richtete sich in seiner Koje auf und sah sich um, als wollte er sich überzeugen, ob er wirklich wach war.

Er sah sich mit einem Ansturm von Gesichtern konfrontiert.

Kein Gesicht war ihm vertraut. Sie wurden eines nach dem anderen vorübergezogen, ein irrsinniges Karussell, körperlos, verwirrte Mienen, manisch, mit weit aufgerissenen Augen: Teil eines collagehaften Tornados, immer im Kreis herum. Sie nahmen einen großen Raum ein, wo eigentlich das Innere der Jagdhütte hätte sein sollen. Das Ganze wurde von einem hochfrequenten Wimmern und Heulen und einem Wind begleitet, den man in den Knochen spüren konnte, nicht auf der Haut, einem Wind, der ihn aus seiner Verankerung mit der Wirklichkeit herauszulösen schien, ohne dabei auch nur ein Haar auf seinem Kopf zu krümmen. Er konnte sich nicht auf einzelne Gesichter konzentrieren. Es war, als wollte er ein einzelnes Wassertröpfchen auf dem Weg im Wasserfall hinabverfolgen. Und dann waren sie verschwunden. Die Gesichter waren verschwunden, doch der Wind blieb. Er nahm an Stärke zu, und dann kam auch die zunehmende Kälte, die ihn in einem Block der Zeitlosigkeit einfror. Er sah sich selbst, seinen Körper, der dümmlich in den Raum starrte, und dann raste er entkörperlicht um die Welt, wie ein Gesprächsfetzen in der Telefonleitung. Irgendwo in der Nähe waren Krie, Emmy und andere, die er nicht kannte, die aber mit ihnen zusammen vom Wind mitgerissen wurden. Er erhaschte einen Blick auf verblüffte Menschen, die mitten im Wald von einem Lagerfeuer aufstanden, neben dem sie geschlafen hatten.

Die Rückkehr schmetterte sein Bewußtsein gleich einem Pickel, der ins Eis schlägt, wieder in den Block der Zeitlosigkeit zurück, so daß er zähneklappernd auf die Knie fiel. Sein Kopf dröhnte wie nach einer schrecklichen Detonation.

Kinder weinten, aber auch Männer und Frauen. Es herrschte eine Stimmung, als hätten sie selbst die Atmosphäre ihres Zuhause in Verwirrung gestürzt. Telepathische Anfälle, dachte er. Er bemühte sich, auf die Beine zu kommen, während er sich zum erstenmal wünschte, nicht Anführer zu sein. Er taumelte am Rand der Dachkammer dahin und blickte in die Hütte hinab.

»Oh, verdammt. Oh, nein«, flüsterte er.

Brennende Scheite stiegen vom Feuer auf und rasten wie irrsinnig durch die Hütte, wobei sie gelegentlich wie antagonistische Kometen herabstürzten und wahllos Leute verbrannten. Der Boden war ein Tohuwabohu umherirrender Gestalten, die durch die dauernd wechselnden Schatten der schwebenden Fackeln die Orientierung verloren hatten. Sechs, vielleicht auch sieben Männer waren in der Luft und wurden anscheinend in Panik von den Auf-Feldern wahllos durcheinandergeschüttelt, die mit aufgeregten Emotionen überladen waren. Zwei Gestalten lagen in Blutlachen auf dem Boden. Emmy stand neben einer Frau und bemühte sich, sie vor den Entfesselten zu schützen. Krie schwebte von einer Kerosinlampe zur nächsten und entzündete sie methodisch.

»Ruhig, Leute!« rief Dreyer und stieg auf, um nach zwei Jungen zu greifen, die starr vor Entsetzen eng umeinander kreisten.

»Können... können nicht aufhören...«, weinte einer der Jungen.

Krie gesellte sich zu Dreyer, worauf sie gemeinsam auf die Auf-Fel-

der der beiden einwirkten, bis sie schlaff und erschöpft zu Boden sanken. Emmy hatte derweil die Verwundeten weggeschafft und levitierte mit dem alten George und zwei Eimern unter die Decke, um die Feuer zu löschen, die brennende Scheite entfacht hatten....
Zehn Minuten später war der Wahnsinn zu Ende. Die Menschen, die nun völlig wach waren, sahen einander vorwurfsvoll an. Einige schluchzten immer noch leise, jemand weinte laut neben dem zerschmetterten Körper des Geliebten. Ein junger Mann war tot. Die andere Tote war eine fünfunddreißigjährige Frau. Blieben also nur noch achtundzwanzig übrig. Aber was hatte die beiden Opfer getötet?
»Da war ein Wirbelwind aus Gesichtern«, sagte ein junger Mann mit langem, blondem Haar, einem braunen Gesicht und blauen Augen, der wie betäubt dastand. Jimmy Finch. »Und dann schoß die Frau in die Höhe, als würde sie in Flammen stehen, und rief immerzu: ›Sie sind in meinem Kopf!‹ oder so etwas, als wollte sie es abschütteln, dann prallte sie gegen die Decke. Wirklich mit voller Wucht. Wie ein Selbstmordkandidat im Auto.«
Über den jungen Mann hörte er eine ähnliche Geschichte. Getötet von einem panischen Fehleinsatz des Auf.
»Aber was waren diese Poltergeister?« wandte sich Jimmy an Krie. »Die brennenden Scheite, die herumflogen und die Leute verbrannten?«
»Genau das, was Sie gesagt haben. Poltergeister. Diese Poltergeister sind Nebeneffekte der unterbewußten Unterdrückung schlummernder telekinetischer Fähigkeiten.«
Nachdem sie die Toten begraben und den Verbrannten Erste Hilfe hatten zukommen lassen, stritten sie heftig miteinander, wobei Dreyer den Mittler spielen mußte.
Dreyer hatte seine liebe Not, bis er sie beruhigt hatte. Bruchstücke desorientierter Spekulationen wurden während der Unterredung laut:
»Junge, als diese Dinger mich angestarrt haben...«
»Ja, aber eigentlich sahen sie nicht gefährlich aus, mit Ausnahme...«
»Ich erwachte aus diesem entsetzlichen Traum, und dann flog ich...«
»Wenn ihr mich fragt, dann war diese Poltergeist-Episode ein Angriff von irgendwem. Jemand wollte uns eins auswischen...«
»Dummes Zeug, warum sollte jemand...«

»Was soll denn dann...«
»Es war, als könnte ich mich selbst nicht mehr kontrollieren. Wie wenn einem ein Bein einschläft und nicht mehr normal funktioniert. Nur geschah das eben mit dem Auf, daher wurde ich böse herumgewirbelt wie...«
Schließlich gelang es Emmy und Dreyer, sie zu beruhigen. Krie öffnete den Mund zum Sprechen, doch Dreyer, der ihn eifersüchtig beobachtet hatte, kam ihm noch zuvor. »Als erstes brauchen wir nun eine Nachtwache, die jeden Schlafenden sorgsam im Auge behält. Die hätten wir schon früher benötigt. Wir werden Schichten einteilen. Das dient *auch* dazu, uns vor einer Invasion zu schützen, wenn ihr so wollt. Wenn ich auch kaum glaube, daß dieser... Gesichtersturm ein Angriff war...«
»Nein, nein, natürlich nicht«, fiel ihm Krie nicht ohne Schärfe ins Wort.
Doch Dreyer ließ nicht locker: »Es scheint offensichtlich, daß unsere Erlebnisse eben eine Art Nachwirkung des Großen Gewichtsverlustes waren. Wahrscheinlich etwas, das sich... nun, seit dem ersten Tag des Schwerkraftschwundes in unserem kollektiven Unterbewußtsein aufgebaut hat. Nun können wir uns der Schwerkraft bedienen, wenn wir es wünschen, wenn auch mit gewissen Begrenzungen, und, äh, ich meine, es ist nun an der Zeit, daß wir lernen, mit dieser neuen Gabe verantwortungsvoll umzugehen. Mit dieser neuen Kraft. Wir wollen uns doch nicht wieder in dieselbe mißliche Lage wie vor der Katastrophe bringen. Ich glaube, wir sollten uns daran gewöhnen, Übungsstunden abhalten, den Einsatz der Fähigkeit lernen. Als Paare und Einzelne haben wir das schon versucht, aber wir sollten es auch als Gruppe mit der nötigen Organisation tun.«
»Ja«, sagte Emmy bekräftigend, »eine organisierte Untersuchung über Anwendung und Fehlanwendung des Auf.«
Sie ernteten allgemeine Zustimmung, worauf ein Komitee ins Leben gerufen wurde. Zusätzlich bestimmten sie Nachtwachen. Bromberg bekam die erste.
Nachdem die Versammlung aufgelöst war, wandte sich Krie an die Verbleibenden, die ihm noch zuhören wollten, und begann eine Rede, in deren Verlauf er seine Ansichten über das Phänomen darlegte, das sie den Wind der Erinnerung nannten. »Er stellt eine beachtliche Weiterentwicklung dar, denn er kündet – wie auch der Große Gewichtsverlust – von einem neuen Stadium des Seins für diese Spezies.« Dreyer fiel auf, daß Krie nicht »*unsere* Spezies« gesagt hatte.

Die Enzykloperson fuhr fort: »Er markiert vielleicht die Geburtsstunde einer völlig neuen Wesenheit, des kollektiven *bewußten* Verstandes. Wir erlebten dieses Phänomen der gemeinsamen psychischen Sub-Ebenen bewußt, in diesem Fall sahen wir die Gesichter aller anderen Menschen im Land, die durch ein fortwährendes Senden und Empfangen mit uns verbunden waren...«
Dreyer kehrte zu seiner Koje zurück, schnallte sich vorsorglich an und vergrub den Kopf unter seinem Kissen, um Kries schulmeisterliche Stimme nicht mehr mit anhören zu müssen.
Der Schlaf floh sie in dieser Nacht. Eine lastende Spannung saß wie eine wütende Katze mit ruppigem Fell und glühenden Augen über jeder Koje.

4

Es war drei Tage nach dem Wind der Erinnerung. Dreyer hatte gerade seine Nachtwache angetreten. Er stocherte unbehaglich im Feuer, biß sich auf die Lippen und sehnte sich nach einer Tasse Kaffee.
Kaffee und andere verpackte Lebensmittel waren ihnen ausgegangen. Ihre Kundschafter waren mit leeren Händen aus den Städten zurückgekehrt, abgeschreckt vom Anblick ferner Brigantenpatrouillen, die in dichten Formationen entlang der Stadtgrenzen schwebten.
Wurde in Brasilien immer noch Kaffee angebaut? fragte sich Dreyer. Wie mochte es dort jetzt aussehen? War der Dschungel zurückgekehrt, um Brasilia zu verschlingen? Oder hatten sich die Eingeborenen des Dschungels gegen die Stadtbewohner erhoben? Dreyer hatte das unbestimmte Gefühl, daß »primitive« Volksstämme sich leichter an den Großen Gewichtsverlust gewöhnen würden, da sie das Auf möglicherweise als Gabe ihres wie auch immer gearteten Gottes ansehen würden. Die meisten primitiven Menschen hielten die Welt der Träume für etwas Wirkliches, daher würde das Fliegen kein Schock für sie sein. In seinen Träumen kann jeder fliegen. *Vielleicht wache ich in der nächsten Sekunde auf und bin wieder in Portland.*
Mit diesen Gedanken vergewisserte sich Dreyer, daß auch jeder ordentlich angeschnallt war. Er warf den Stock ins Feuer und trat etwas zurück, damit er es nicht versehentlich anhob, wenn er selbst aufstieg. Dann trat er einen Schritt zur Seite und stieg auf, was er mit der gleichen Selbstverständlichkeit tat, als hätte er einen Fahrstuhl betreten. Er schwebte aufrecht und horizontal über die Reihen der Schla-

fenden dahin und lächelte beruhigend auf sie herab. *Komme mir wie ein verdammter Schutzengel vor...* Doch das Lachen blieb ihm im Halse stecken, als er ein Kind aufsteigen sah. Das Mädchen war zwar angeschnallt, die Gurte allerdings viel zu locker, daher levitierte sie (immer noch auf dem Rücken, wie die Assistentin eines Zauberkünstlers in tiefer Trance) mehrere Zentimeter über ihrem Bettchen. Es handelte sich um ein etwa achtjähriges Mädchen mit kastanienfarbenem Haar, ein hübsches Judenmädchen, das sich mit ihrer Mutter erst am Vortag zu ihnen gesellt hatte. Sie waren der festen Überzeugung gewesen, gestorben zu sein und sich auf dem Weg ins Paradies zu befinden. Das Kind hatte sich nicht von diesem Glauben abbringen lassen, doch die Mutter hatte ihre Erklärung akzeptiert, nachdem sie sich von ihrer Hysterie erholt hatte. »Ich kann fliegen, oder etwa nicht?« hatte das Kind gefragt, als wäre das Erklärung genug. »Ich bin tot. Wir sind auf dem Weg zu Papa.« Papa war beim Gewichtsverlust in San Francisco gestorben, noch im Verlauf der ersten Schockwelle. Träumte sie davon, zu ihrem Papa zu fliegen? fragte sich Dreyer. Vielleicht war es das beste, sie nicht aufzuwecken. Er ließ sich langsam weitertreiben und versuchte, die Gurte etwas fester zu zurren...
Vielleicht wurde sie psychisch vor ihm gewarnt, denn das Mädchen riß – immer noch mit geschlossenen Augen – die Arme in die Höhe. Er konnte durch die Bewegung der Lider erkennen, daß sie die Augen darunter hastig drehte, und dann zerriß sie mit einem plötzlichen Aufbäumen des Auf ihre Gurte, als bestünden sie aus Papier, und schwebte – immer noch liegend – in die Höhe.
Dreyer hielt den Atem an. Sie hatte die Gurte im Schlaf zerrissen, und doch schien es sich fast um eine bewußte Tat gehandelt zu haben. Die Segeltuchgurte waren fest und hätten vor dem Großen Gewichtsverlust einem kräftigen Mann standgehalten, hätte er sich auch noch so sehr angestrengt. Wo waren die Grenzen der unbändigen *Kraft* des Auf? Konnte es buchstäblich Berge versetzen? Wurde das Feld vom Körper erzeugt, oder handelte es sich nur um ein ausgedehntes, größeres Feld, von dem der Körper Gebrauch machte?
Mit diesen Fragen stieg Dreyer höher, immer dem Kind hinterher. Er wollte nicht um Hilfe rufen. Er hatte Angst, das Mädchen könnte aufwachen und unter Schockeinwirkung die Kontrolle über das Auf verlieren. Sie hätte das Selbstvertrauen verlieren und stürzen können, oder in Panik geraten und sich selbst an der Decke zerschmettern...
Sie verlangsamte ihren Flug, als würde sie sich umsehen, obwohl sie die Augen immer noch geschlossen hatte. Seltsamerweise wandte sie

ihm den Kopf zu und schien ihn trotz allem zu sehen. Sie drehte sich in der Luft wie der große Zeiger einer Uhr, der sich rasch Mitternacht nähert, bis sie sich aufgerichtet hatte. Ihre bloßen Füße glänzten im spärlichen Licht der Kerosinlampen wie Perlmutt, ihr Körper wurde in Umrissen unter dem knielangen weißen Nachthemd sichtbar, das sie trug. Dreyer konnte trotz der gefährlichen Situation ein Lächeln nicht unterdrücken. Er fühlte sich an Peter Pan erinnert. Dem Mädchen fehlte nur noch ein Teddybär unter dem Arm. Er glitt langsam auf sie zu, sorgsam darauf bedacht, heftige Bewegungen zu vermeiden, wobei er immer in der Furcht lebte, er könnte sie erschrecken, falls sie ihn tatsächlich wahrnehmen konnte. »Gail?« Ja, das war ihr Name. »Gail, Liebes, komm her, komm zu deinem Freund...« rief Dreyer leise. Er befand sich fast in Gails Reichweite... da sah sie zur Decke hoch. »Papa?« sagte sie leise. »Papa?«
»Gail...« sagte Dreyer nun lauter. Er bekam nur am Rande mit, daß sich unten jemand regte und die Gurte löste. Wahrscheinlich Krie. Gail schoß zur Decke hoch.
Dreyer katapultierte sich ihr mit zugeschnürter Kehle und klopfendem Herzen hinterher. Noch fünf Meter bis zur Decke, drei, zwei – sie würde daran zerschmettern, da sie immer schneller wurde und darauf zuhielt, als wäre die Decke nur eine Wolke. Sie hatte die Arme fest an den Körper gepreßt, ihr Gesicht war der Holzbarriere zugewendet...
Dreyer bildete ein Stoßfeld mit seinem Auf und drückte ein großes Loch in das Dach. Geborstene Bretter flogen nach draußen, gefolgt von dem Mädchen. Dreyer betete, daß die Öffnung groß genug sein würde. Sie schoß unverletzt hindurch. Er erweiterte die Öffnung und folgte ihr, zuckte aber zurück, als sich ein Splitter in seine Haut grub. Er schoß noch über das Dach in die Nacht hinaus und sah sich verzweifelt um. Der Mond war beinahe kreisrund, die kühle und klare Nachtluft voller Sterne, der Wald zu beiden Seiten dunkel und geheimnisvoll.
»Gail?«
Sie war verschwunden.
Aus dem länglichen Loch in dem schindelgedeckten Dach stieg jemand vorsichtig auf. Er sah hinab, suchte dann aber rasch wieder den Himmel ab.
»Hast du gesehen, in welche Richtung sie verschwunden ist?« fragte Krie kälter als üblich – wirklich ausgesprochen kalt.
»Nein«, sagte Dreyer, der in einer weiten Spirale höher stieg und den

Horizont absuchte. Er zitterte in der kühlen Nachtluft. Krie hatte mit den Kleidern geschlafen. Dreyer nahm die mißgestaltete Silhouette neben sich wahr. »Wir organisieren am besten einen Suchtrupp«, sagte er.
»Tu du das«, meinte Dreyer zornig. »Ich werde hierbleiben und weiter nach ihr suchen.« Dann fügte er noch entschuldigend hinzu: »Sie war viel schneller als ich, und außerdem war sie vor mir hier draußen. Ich mußte erst das Loch erweitern.«
Krie grunzte. Und diese eine Silbe schien zu sagen: *Du hast in dieser Situation versagt. Wahrscheinlich werden wir sie nur noch tot bergen können – wenn überhaupt.*
Wie ein Gas verlierender Ballon sank Krie durch das Loch im Dach, wobei er einen Alarm ausrief. »Suchtrupp! Kind verschwunden! Im Schlaf aufgestiegen!«
Dreyer kreiste höher und unterdrückte das Bedürfnis, loszuheulen. Er schlug mit den Armen an den Körper, um sich zu wärmen. Die Nacht schien ausgesprochen unschuldig. *Wer, ich?* schien sie zu fragen. *Als ob ich ein Kind verschlucken könnte!*
Dreyer stieg mit langsamen, lustlosen Bewegungen empor. Er ähnelte einem verlorenen Drachen.

5

Zehn Männer und Frauen schwärmten mit Campinglampen bewaffnet aus.
Sie hatten bereits zwei Tage vergeblicher Suche hinter sich. Die Schwächeren unter ihnen verloren ständig an Höhe, weil der Hunger an ihrer Kontrolle über das Auf-Feld nagte. Eine verspätete Hitzewelle ging über das Land hinweg, die Sonne stach ihnen gnadenlos in die Augen und verbrannte jeden Zentimeter entblößter Haut. Sie glitten über einen endlosen Wald voller Pinien, Josuabäumen, Bächen, Schluchten, erschreckter Krähen... Schließlich fanden sie sie hungrig und halbtot, zu Fuß wandernd und schluchzend, aber mit trockenen Augen, etwa dreißig Meilen südlich der Blockhütte. Sie hatte sich für eine Nacht bei einer anderen Siedlung niedergelassen, die aber von rauhen Gesellen bewohnt wurde, bei denen Kämpfe um Vorherrschaft und Essen an der Tagesordnung zu sein schienen, daher war sie voller Angst blindlings in den Wald gerannt. Nun fürchtete sie sich vor dem Auf.

Aber sie war am Leben, und an sich war schon das ein Wunder. Krie erläuterte mit weisem Nicken, daß sie sie wahrscheinlich deshalb gefunden hatten, weil sie unbewußt ihrer psionischen Spur gefolgt waren.
Auf dem Rückweg entdeckten sie ein verlassenes Ferienlager mit einem Laden, dessen Vorräte nicht geplündert waren. Nahrung in Dosen, Kaffee und Tabak waren reichlich vorhanden. Sie schafften die Lebensmittel systematisch zur Blockhütte, was drei Ausflüge erforderlich machte. Das war eine ideale Übung für das Auf-Feld. Dreyer teilte die Aufgabe den Ungeschicktesten zu, damit sie trainieren konnten. Zu der Beute gehörten auch Matratzen aus den Schlafräumen, Werkzeuge und zwei Gewehre. In einem umgestürzten Auto fanden sie mehrere zerschmetterte Leichen, die wahrscheinlich in Panik ihr Auf eingesetzt hatten. Dreyer und seine Gruppe begruben sie, indem sie das ganze Auto mit Humus aus dem Wald zudeckten. Zwei der Männer versuchten, einen Holzfällertransporter zu heben und scheiterten, was keine Frage mangelnder Stärke war, sondern eine Frage der Übung, denn sie hatten herausgefunden, je größer und schwerer ein Objekt war, desto weiter mußte das Auf-Feld ausgedehnt werden, und desto größeres Geschick war erforderlich. Sie wollten aber nicht mehr als zwei gekoppelte Felder einsetzen, da sonst eine Art psychischer Rückkopplung erfolgte, ein verwirrend sexuelles und störendes Gefühl.
Ein weiterer Teil der Beute: zwölf Fünfliterflaschen Wein.
Dreyer beraumte ein Fest an. Der Wein wurde rasch und gleichgültig hinuntergeschüttet. Er wollte ihn so schnell wie möglich wieder loswerden, um Streitigkeiten zu vermeiden, doch das Essen für das Fest wurde strikt rationiert.
Gleichzeitig wurde ein Abstinenzler-Komitee einberufen, zu dem Krie und auch Dreyer selbst gehörten und das die Betrunkenen überwachen sollte, um einen Mißbrauch des Auf zu verhindern und Raufbolde unter Einsatz der eigenen Fähigkeiten zu trennen. Die Feiernden sangen Lieder und tanzten in der Luft um das Feuer herum. Der alte George und einige Teenager tanzten ausgelassen in den warmen Aufwinden des Lagerfeuers, das geisterhaft flackernde Licht verwandelte sie in grinsende Spukgestalten: Sie kreischten vergnügt, wenn Funken gegen ihre bloßen Fußsohlen stoben, ihre Augen tränten vom Rauch.
Um Mitternacht hatte sich die Hälfte der Gemeinschaft der Kleider entledigt. Drei Pärchen hatten sich Emmys und Dreyers abschließ-

bare Kammer hintereinander ausgeliehen, um ungestört miteinander schlafen zu können. Zwei weitere Pärchen waren in die Luft aufgestiegen und liebten sich im Schatten über den Bäumen. Ihre Umrisse erinnerten an Wolken, die einander näher kamen und sich wieder entfernten. Auf-Felder schienen nach ihnen zu greifen und sie als ansteckende Masseneuphorie zu umarmen. Dreyer fühlte sich schwindelig vor kontakt-euphorischer Trunkenheit. Unsichtbare Energien knisterten wie die Scheite im Feuer... Die beiden Paare in der Luft wurden irgendwie zueinander hingezogen, aus zweien wurden vier, eine vor dem Dämmerhorizont kaum sichtbare Gewitterwolke menschlicher Sexualität... Emmy war dafür, sich zu ihnen zu gesellen, doch der hausbackenere Dreyer sträubte sich, daher suchten sie sich ein abgelegeneres Plätzchen zwischen den Bäumen.
Als sie nach etwa einer Stunde zurückkamen, informierte Krie ihn mit leiser Stimme, daß während seiner Abwesenheit ein Kampf ausgebrochen war. Bob Brumond hatte sich einen unpassenden Scherz mit Roland erlaubt, er hatte den finsteren, humorlosen Ex-Mariner mit einem Pinienscheit am Kopf gestoßen. Daraufhin hatte der erboste Roland einen ganzen Ast von einem nahestehenden Baum losgebrochen und mit dem Auf durch die Luft gewirbelt. Er hatte Brumonds linken Arm und mehrere Rippen gebrochen. Die Gruppe hatte Brumonds Schmerz empathisch gespürt, und die Krone über dem Feuer war auseinandergebrochen. Brumonds Ärger hatte die Stimmung dann vollends verdorben.
Emmy half Brumond verarzten, während Dreyer sich den anklagenden Blicken von Krie und Bromberg stellte. Sie waren allein am Feuer, das zu einem glimmenden Aschehäufchen heruntergebrannt war. Bromberg und Krie sahen in dem Dämmerlicht finster aus.
Dreyer öffnete den Mund zum Sprechen, verstummte aber, als über ihnen eine Gestalt sichtbar wurde, die im Zickzackkurs einherschwebte. Es war der alte George, der den Weg zur Hütte suchte. »Es wäre nett, wenn wir hier einen Brunnen bauen könnten«, wandte sich Dreyer in der Hoffnung an Bromberg, der Konfrontation ausweichen zu können. »Diese Hütte hier wurde wahrscheinlich einmal von einem Reservoir gespeist, und die Pumpstation wird kaum noch funktionieren, aber wir könnten doch einen Brunnen ausheben und eine eigene Pumpanlage installieren. Wir befinden uns zwar südlich von Portland, in einer ungesunden Höhe. Der Winter wird kalt werden.« Er redete zu schnell. »Vielleicht bekommen wir Schnee. Und ich will das Wasser nicht den ganzen Winter durch den Schnee zum Haus

schleppen.« Er grinste. Sie starrten ihn stumm an. Er konnte ihre Augen in der Dunkelheit nicht sehen, aber er spürte ihre Blicke auf sich.
»Okay, was ist los?«
»Brumond und Roland unterstanden heute nacht deiner Aufsicht«, sagte Bromberg. »Wir hatten die Gruppe aufgeteilt. Ich und Krie waren zur Überwachung...«
»Ich weiß, ich weiß«, unterbrach ihn Dreyer müde. »Und jetzt pißt ihr euch ins Hemd, weil ich mit Emmy weg war und während meiner Abwesenheit Streit ausgebrochen ist. Ich bin halt auch nur ein Mensch...«
»Ich nicht«, sagte Krie leise. Eine vielsagende Pause, dann fuhr er fort: »Und ich bin der Meinung, daß deine Entscheidungen bezüglich der Jagd und des Problems der Verköstigung falsch sind. Meiner Meinung nach hast du auch in der Frage des im Schlaf aufsteigenden Kindes falsch gehandelt. *Das* alles sind unverzeihliche Dinge. Wir werden eine neue Abstimmung anberaumen...«
»Das wird nicht nötig sein«, rief Dreyer impulsiv. »Ich werde zurücktreten. Sie werden dir das Amt dann ganz bestimmt übertragen. Das wird eine große Beruhigung für sie sein, wenn ihr Leben endlich wieder von einer Maschine bestimmt wird.«
Dreyer ging an ihnen vorbei und ging – bewußt und vorsätzlich – auf dem Boden zur Hütte zurück.
Am nächsten Morgen wurde die ganze Siedlung von einem heftigen Unwohlsein niedergedrückt. Auch jene verspürten es, die nichts getrunken hatten.

Drittes Buch

Von außerhalb: Wahnsinnige Flieger wie hungrige Fregattvögel

1

Es ging auf Oktober zu. Die Blätter der Bäume trockneten aus, wurden farbig und knisterten. Dreyer war eine ganze Woche lang beleidigt gewesen, jedem war aufgefallen, wie nahe am Boden er immer flog. Er sah wenig von Emmy. Sie verbrachte immer mehr Zeit mit Expeditionen zur Erkundung des Geländes, um Karten anzufertigen, Versorgungsstätten auszumachen und mögliche Bedrohungen aufzuspüren.

Eines Nachmittags war sie mit Bromberg, Krie und Tully aufgebrochen. Als sie zurückkehrten, hatten sie Bromberg zwischen sich, den sie mit Händen und ihren Feldern stützten. Ein Teil seines rechten Beines war abgeschossen worden, Blut sickerte aus Emmys hastig angelegtem Notverband hervor und tropfte zu Boden, als wollte es dort die Saat kommender Gewalttaten einpflanzen.

Als sie gelandet waren und Bromberg hingelegt hatten, erklärte Emmy: »Wir sahen Rauch und waren der Meinung, er würde von der Feuerstelle einer Siedlung stammen. Er stammte auch von einer Siedlung. Aber die stand in hellen Flammen. Es handelte sich um eine kleine Kolonie untereinander verbundener Baumhäuser. Es muß ein herrliches Dorf gewesen sein. Aber die Bewohner waren alle tot oder geflohen – Opfer von Marodeuren. Wir konnten aber nur einige von ihnen sehen, sie stritten sich wegen des Diebesguts. Drei waren damit beschäftigt, die Leiche eines jungen Mädchens zu vergewaltigen. Es waren ausschließlich Männer, die seltsame Abzeichen an ihren Levisjacken trugen. Einer besaß eine Schrotflinte, das war eine Art Wachposten. Ich glaube, er war betrunken, jedenfalls flog er sehr unsicher. Er zielte auch nicht besonders gut. Er kam plötzlich hochgeschwebt und überraschte uns. Eigentlich hätte er mit seiner doppelläufigen Flinte mindestens zwei von uns töten müssen. Aber er traf nur Brommies Bein, und Krie bekam ein paar Schrotkugeln in den Rücken. Dann hat Tully ihn erschossen, und wir zogen uns zurück. Ein paar stiegen auf, um uns zu verfolgen, aber sie hatten getrunken und Drogen genommen und konnten kaum fliegen. Und dann noch der Rauch über dem Feuer – es war außer Kontrolle, ich hoffe, der

Wind wird es nicht auf uns zutreiben. Es loderte in die Höhe und flakkerte, und das hat sie möglicherweise verwirrt. Wir sind ein wenig im Zickzack geflogen, um sie abzuschütteln, dann kamen wir zurück.«
»Das könnte ein Fehler gewesen sein«, wandte Tully ein. Er war ein kräftiger, bärtiger junger Mann mit einer ordentlichen Portion Selbstsicherheit. »Vielleicht hätten wir warten und sie töten sollen. Oder sie in die Irre locken. Ich bin nicht sicher, ob wir sie abgeschüttelt haben. Ich bilde mir ein, ich hätte einen dicht über den Bäumen fliegen sehen. Sie hätten uns heimlich folgen können, um die Lage unserer Siedlung zu erfahren.«
Emmy schien bestürzt. »Aber wir konnten doch nicht das Risiko eingehen, Bromberg verbluten zu lassen. Wir mußten so schnell wie möglich zurückkehren!«
Kein Wort wurde mehr darüber verloren. Aber in der Nacht ließ Krie die Wachen heimlich verdoppeln.
Dreyer und Emmy saßen auf Kissen am Feuer, beide waren zu müde, um aufwärts zu schweben. Sie brauchten die Wärme der Flammen, aber ihr Knacken und Prasseln machte sie nervös. Es erinnerte sie zu sehr an die brennenden Baumhäuser.
»Glaubst du, die Plünderer waren schon immer Gesetzlose? So etwas wie ein verrückter Kult, eine Motorradbande, ausgebrochene mörderische Irre oder sonstwas?«
»Manche von ihnen schienen, äh, pathologische Verbrecher zu sein. Aber viele sahen auch aus, als wären sie wahnsinnig geworden. Als wären sie früher mal Schalterbeamte gewesen und dann übergeschnappt. Sie hatten gute Anzüge an und blickten...« – sie verzog das Gesicht – »... staunend drein, wenn sie scheußliche Dinge taten... Ich glaube, es ist so, wie Krie sagt...«
Dreyer fuhr zurück.
»... daß ein beachtlicher Prozentsatz der Bevölkerung gewalttätig und verrückt wurde, als der Große Gewichtsverlust einsetzte. Sie konnten sich nicht anpassen. Diese Leute gehörten dazu. Die Gewalttätigen. Für sie gibt es keine solide Realität mehr, daher glauben sie, es gäbe auch keine Gesetze mehr. Zudem wurden sie von der Desorientierung aus dem Gleichgewicht gebracht... Aber ein großer Teil der Überlebenden überstand alles gesund, vielleicht weil es uns vorbestimmt war, Teil des Neuen zu sein... Teil der neuen Ordnung. Der neuen Phase im Wachstum der Menschheit. Und der Große Unterbewußte Verstand führte uns durch die Desorientierung. Beispielsweise konnten wir doch alle instinktiv die Natur unserer plötzlichen Ge-

wichtslosigkeit erkennen... etwa die Träume vom Fliegen. *Das* scheint natürlich zu sein, und...«

»Du zitierst Krie in vielem, was du sagst«, seufzte Dreyer.

Sie runzelte die Stirn. »Reagierst du darauf immer noch so empfindlich, Dick? Warum machst du dir Gedanken darüber? Er ist teilweise ein Computer. Selbstverständlich verfügt er über ein großes Hintergrundwissen. Er wird alles zum Besten der Leute in Ordnung bringen. Na und? Er ist wahrscheinlich auf dem richtigen Weg.«

»Das ist ja das Schlimme. In theoretischen Fragen ist er im Recht. Auch sonst in vieler Hinsicht. Aber ich glaube nicht, daß man seiner Urteilskraft in *jeder* Hinsicht vertrauen kann. Er sollte ein Ratgeber sein, kein Führer.«

»Saure Trauben, alter Junge.«

»Warum soll ich denn *nicht* so reagieren?« explodierte Dreyer und schrie sie an. »Ich...« Aber Emmy war aufgestiegen und schwebte zu ihrer Schlafnische.

Dreyer sah sich verlegen um. Die anderen starrten ihn an. Er ging achselzuckend nach draußen.

Die Nacht war kühl. Er ging hinaus, um mit der Wache zu reden – einfach nur, um das Gefühl des Bodens unter seinen Füßen auszukosten. Tully saß auf einem Baumstumpf, er hatte eine Laterne bei sich, sein Gewehr stand neben ihm an einen Baum gelehnt. Er las im Licht der Laterne in einem Buch, wobei er dauernd die Augen zusammenkneifen mußte, sein Gesicht war konzentriert. Falter flatterten gegen die Kerosinlampe, über ihm sang ein Nachtvogel, der in den Ästen nach Insekten jagte.

»Du wirst dir die Augen kaputtmachen, bei dem Licht«, sagte Dreyer und trat von hinten an ihn heran.

Tully ließ das Buch erschrocken fallen und griff nach seinem Gewehr. Er drehte sich zu ihm um. Als er Dreyer erkannte, ließ er das Gewehr wieder sinken und lehnte es achselzuckend erneut an den Baum. Er schien über Dreyers Belustigung erzürnt.

Dreyer kicherte, er stützte sich an dem Baum ab und stocherte sich mit einem Pinienästchen in den Zähnen herum. »Tut mir leid, wenn ich dich erschreckt habe.«

»Macht nichts. Waren wahrscheinlich die Schuldgefühle, daß ich während meiner Wache lese. Ich habe lange Zeit aufgepaßt... aber ich glaube, der Schrecken sitzt mir immer noch etwas im Nacken. Der Anblick des verwüsteten Lagers... diese Drecksäcke. Ich habe schon fast auf Eulen und Grillen geschossen. Daher versuchte ich zu lesen, um meine Nerven zu beruhigen. Aber es fiel mir schwer, mich zu konzentrieren. Ich mußte immer an die Gesichter dieser Bastarde denken...«

»Du denkst immer noch daran«, erinnerte ihn Dreyer. »Aber heute nachmittag schien doch alles in Ordnung.«

»Heute nachmittag war es auch nicht dunkel.«

»Sehr treffende Feststellung«, kommentierte Dreyer mit trockenem Humor.

Tully schien das nicht komisch zu finden. Er saß auf seinem Baumstumpf und starrte in die Dunkelheit.

Dreyer empfand ein seltsames Kribbeln; er erlebte das blitzartige geistige Bild eines zähnefletschenden Mannes, der nach seinem Gesicht krallte. Es verschwand fast augenblicklich wieder.

Tully hatte es auch bemerkt. »Was war das?« fragte er. Er sah sich verwirrt um.

Sie hörten ein fernes säuselndes Geräusch: Etwas Großes bewegte sich durch die Luft. Beide standen auf und lauschten. Tully griff mit seiner Hand nach seinem Gewehr, doch da er den Blick zum Himmel gerichtet hielt, griff er daneben. Die Schatten um sie her schienen plötzlich zum Leben zu erwachen. Sie konnten eine näher kommende Präsenz wahrnehmen. Etwas Unheilvolles.

Dreyer bückte sich und hob die Lampe auf, die er hoch vor sich hielt. In dem spärlichen und diffusen Licht konnte er gerade noch einen großen, dunklen Umriß ausmachen, der in einer Höhe von etwa zehn Meter über dem Boden unsicher im Halbschatten eines Pinienstammes schwebte. Sie erhaschten einen Blick auf einen dunkelhäutigen, kahlköpfigen Giganten, schweißgebadet und mit einer muskulösen Brust, die doppelt so breit wie die Dreyers war. Er mußte wenigstens zwei Meter zehn groß sein, schätzte Dreyer. Der Mann hatte die Hände ins eigene Gesicht verkrallt, Blut lief aus Wunden in seinem Fleisch, seine Augen waren aufgerissen und traten weit hervor. Er wurde mit manischer Gewalt in der Luft herumgeschüttelt, daher war es schwer, ihn eingehender zu betrachten.

Der Riese schien Tully und Dreyer zu sehen (gerade als Tully den Gewehrkolben an die Schulter drückte), denn er entfernte seine gekrümmten Finger von dem zerschundenen Gesicht. Dreyer zuckte zusammen, als er eine weitere, flüchtige Vision des Giganten mitbekam: ein verschwommenes Abbild von Tully und ihm selbst, die wie Dämonen der Hölle mit übergroßen Beißwerkzeugen von unten heraufschnappten.

Tully machte sein Gewehr feuerbereit, doch Dreyer schlug die Waffe zur Seite: Der Schuß ging daneben. »Gib ihm eine Chance!« rief Dreyer. »Vielleicht ist er...«
In diesem Augenblick wurde der dicke Pinienstamm, hinter dem sich der Gigant verbarg, von einer unsichtbaren Faust zerschmettert. Er brach knapp über dem Boden ab und wurde in zwei Teile gespalten. Die Hälfte davon – ein abgesplittertes Teil der linken Seite – fiel in ihre Richtung. Ein Ast traf Dreyer an der Schulter. Der wahnsinnige Gigant tobte weiter, entwurzelte Bäume mit seinem Auf-Feld und störte die Stille der Nacht mit seinem Lied willkürlicher Gewaltanwendung. Splitter und Bruchstücke von Ästen regneten herab.
Dreyer lag in einem Bett aus Piniennadeln auf dem Rücken, seine Sinne spielten ihm die tollsten Streiche. Er fragte sich, ob er sich die Schulter gebrochen hatte.
Er blieb ganz still liegen, während der Gigant, dessen Beine rudernde Bewegungen vollführten, als bildete er sich ein, auf der Luft zu gehen, langsam auf sie zukam, wobei er sich immer noch heulend mit den Fingernägeln traktierte. Er ging einige Meter links an Dreyer vorbei, wie dieser mit Erleichterung zur Kenntnis nahm, entwurzelte Sträucher mit einer Geste, zersplitterte Bäume mit einem Blick.
Als er vorüber war, erhob sich Dreyer mühsam und betastete seinen linken Arm. Er war geschwollen und fühlte sich taub an, war aber ansonsten unversehrt. Er fand die Laterne unter einem Pinienast und war dankbar, daß sie nicht zerbrochen war und ein Feuer entfacht hatte. Er hob sie auf und machte sich auf die Suche nach Tully. Er fand Tully in zwei Teilen. Zuerst fand er den Kopf. Ein ausschlagender Ast hatte ihn vom Körper getrennt. Der Gesichtsausdruck war ekelerregend verzerrt.
Dreyer taumelte auf die Siedlung zu. Schreie wurden laut, Bäume und Äste krachten.
Durch die Bäume konnte er, noch undeutlich, in einiger Entfernung den Widerschein von Feuer sehen.
Er hastete aus dem Wald und über die Wiese, wobei er den Schmerz in seiner Schulter verfluchte. Gewehrfeuer hallte von den Hügeln herunter. Aus dieser Entfernung sah die Hütte wie ein Bienenstock aus, die Gestalten, die verwirrt und kreischend einherrannten, waren die Bienen. Er blieb verblüfft stehen – in seiner Panik war er über den Boden *gerannt*. Er stieg auf, doch sein Flug war infolge der Schmerzen in seinem Arm unsicher (außerdem erinnerte er sich noch zu gut an Tullys Überreste, dieses von nacktem Entsetzen verzerrte Gesicht mit

den aufgerissenen Augen). Er schwebte gerade so hoch über dem Boden, daß seine Fußsohlen noch die Grashalme berührten. Hier war es am dunkelsten, und die Banditen konzentrierten sich auf hochfliegende Feinde. Er konnte sie jetzt deutlicher sehen: Die Flammen, die von Süden heranzüngelten, beleuchteten sie teilweise.
Die Banditen flogen im Kreis um die Hütte herum wie Indianer in alten Filmen um eine Wagenburg. Gewehrfeuer von der Hütte markierte die Verteidiger. Einige der Plünderer waren mit Flammenwerfern bewaffnet, sie sahen in der Dunkelheit wie Kometen aus. Darüber hinaus konnte Dreyer einen unsichtbaren Kampf spüren, ein Kräftemessen mit den Auf-Feldern. Während er näher kam, konnte er die Gesichter der Marodeure ausmachen, die an den brennenden Dachkanten vorüberschossen. Ihre Gesichter waren verzerrt, irr, besessen und entsetzt. Er spürte ihren Schmerz. Ihre Unfähigkeit, sich an das Auf anzupassen, hatte sie in den Wahnsinn getrieben. Er blinzelte verwirrt. Es schien, als würden sie ... Uniformen tragen. Ja. Ungleichmäßig zugeknöpfte Militäruniformen – etwa die Hälfte der Männer trugen sie. Sie sahen blau aus, also Marinesoldaten, wenn er sich nicht irrte. Tatsächlich war von einer ganzen Schwadron US-Marine berichtet worden, die den Verstand verloren hatte, als nach dem Großen Gewichtsverlust die militärische Ordnung zusammengebrochen war ... Aber wer war der dunkelhäutige Riese? Dreyer näherte sich dem Haus bis auf zehn Meter und ließ sich ins Gras sinken. Da ....
Dort erhob sich der dunkle Gigant in die Luft. Er hatte die Arme vor den Kopf gehoben und kreiste, während er aufstieg. Vor dem dunkelroten Flammenkranz hob sich seine Gestalt deutlich ab. Ein großes Stück der Dachrinne machte sich selbständig und schoß auf einen der Verteidiger der Hütte zu, offensichtlich vom Feld des Giganten gesteuert. Es traf zwei von Dreyers Freunden vor die Brust, worauf diese das Gleichgewicht verloren und vom Dach in den Wald hinter der Hütte stürzten. Dreyer spürte eine schmerzende Erschütterung in den sensitiven Fühlern seines Auf-Feldes – das empathische Miterleben des Todes seiner Freunde.
Kalte Wut stieg ihn ihm auf, in Gedanken sah er das anklagende Gesicht seines toten Freundes. Er sah sich um. Zu seiner Rechten war ein kräftiger Pflock in die Erde gehauen worden. Jemand hatte einen Vorbau anschließen wollen. Er maß ihn mit seinem Auf-Feld, die suchende Empfänglichkeit seines Geistes sondierte Beschaffenheit und Gewicht des Holzes. Er konzentrierte sich – der Pflock erhob sich aus

dem Erdreich, Klumpen fielen von seinem unteren Ende zu Boden, dann schwebte er etwa dreißig Zentimeter über Dreyers Kopf in der Luft. Er richtete ihn (ohne ihn mit den Händen zu berühren) wie eine übergroße Bazooka auf die Gestalt des Giganten, die flammenumkränzt am Himmel zu sehen war. Der Gigant entrang den Verteidigern telekinetisch ihre Waffen und zerschmetterte ihre Schädel mit den Gewehrkolben. Dreyer sah, wie ihm eine Kugel in die rechte Brusthälfte drang, die die Lunge gestreift haben mußte. Er hustete, schien aber keine weitere Notiz davon zu nehmen...
Hiervon wird er Notiz nehmen, dachte Dreyer, der alle Kraft zusammennahm, um den Pfahl wie ein Geschoß auf den Riesen zuzuschleudern. Als der Pfahl sein Ziel gefunden hatte, zog er sein Auf-Feld hastig zurück, um sich vor der empathischen Rückkopplung zu schützen.
Der Gigant, der von Gegnern angegriffen wurde, die sich in nächster Nähe befanden, hatte keine Chance mehr, das hölzerne Geschoß abzulenken. In spitzem Winkel traf es auf seinen Körper, riß ein Loch und bohrte sich tief in seine Eingeweide. Erst die Wirbelsäule hielt den überdimensionalen Holzspeer auf. Der Gigant taumelte haltlos. Mehrere Verteidiger in seiner Nähe schrien, als sie die Schmerzen spürten. Zwei weitere Schüsse wurden laut und beendeten das entsetzliche Treiben – der Gigant fiel zu Boden.
Auch Dreyer ließ sich erschöpft und mit hämmernden Kopfschmerzen zu Boden sinken.
Als er wieder aufsah, hatten die Plünderer die Hütte eingeschlossen, sie traten gegen die Seitentüren und warfen Fackeln durch die Fenster. Zwei der Marodeure näherten sich Dreyer. Mit weit aufgerissenen Augen und schmalen Pupillen schwebten sie etwa drei Meter in die Höhe und beäugten ihn argwöhnisch. Einer von ihnen runzelte konzentriert die Stirn, worauf sich ein Stein von der Wiese erhob und auf Dreyers Gesicht zuraste. Dreyer, dessen Herz klopfte und dessen Atem rasselnd ging, konnte ihn abwehren und nach rechts in die Dunkelheit schleudern. Doch er verlor ihn nicht aus seinem geistigen Griff, und als die beiden Plünderer näher kamen, ließ er ihn wie einen Bumerang zurückschnellen, so daß er den Schädel des nächsten der beiden Männer zerschmetterte.
Der andere kreischte und preßte die Hände gegen den Kopf, da er den Todesschmerz seines Freundes miterlebte. Dreyer aber hatte sein Auf-Feld im letztmöglichen Augenblick zurückgezogen und den Stein mit eigenem Schwung auf das Ziel prallen lassen.

Er suchte gerade nach einem neuen Geschoß, als der andere Angreifer aus seiner Benommenheit erwachte und eine Pistole vom Gürtel hochriß. Dreyer bezweifelte, daß er etwas so Schnelles wie eine Kugel abwehren konnte. Der Mann richtete die Waffe auf Dreyers Kopf...
Die uniformierten Plünderer näherten sich der Hütte...
Ein kreischendes Kind rannte aus der Tür der Hütte und stieg mit ungeschickten Bewegungen auf. Sein Hemdchen stand in Flammen...
Dreyers Angreifer blickte aufgeschreckt drein, dann richtete er den Blick auf etwas hinter Dreyer, blinzelte mehrmals und feuerte dann in diese Richtung.
Dreyer konzentrierte seinen Auf-Griff auf den Lauf der Waffe des Plünderers, dann ließ er ihn so zurückschnappen, daß der Lauf mit aller Wucht zwischen die wild rollenden Augen schlug. Der Unhold brach zusammen...
Dreyer wandte sich um. Von Süden näherte sich eine aus Männern und Frauen bestehende Gruppe, die ein dichtes Auf-Muster über den Baumkronen wob. Die meisten waren mit Gewehren, Flinten, einige darüber hinaus mit Munitionsgürteln ausgerüstet, die sie kreuzweise übergehängt hatten. Es handelte sich um dunkelhaarige, dunkelhäutige Menschen. Die Männer trugen ihr Haar zu Zöpfen geflochten, viele besaßen Wildlederjacken, die mit Perlenmustern verziert waren. Sie hatten Scheinwerfer und Fackeln bei sich, und sie feuerten ausschließlich auf die Angreifer. *Hier kommt die Kavallerie*, dachte Dreyer.
... Bis er erkannte, daß die Retter ausnahmslos Indianer waren.
Er nahm dem zusammengebrochenen Marodeur die blutige Flinte ab und stieg vorsichtig auf, um die Blockhütte zu umkreisen – die entsicherte Waffe hielt er in der rechten Hand bereit. Auf der anderen Seite ließ er sich wieder hinabsinken und feuerte in die Masse der Angreifer, deren alleinige Aufmerksamkeit nun den Indianern galt. Einer von ihnen stürzte und schlug mit einem dumpfen Laut auf den Boden auf, den man sogar im Kampfgetümmel noch vernehmen konnte. Ein anderer schrie auf und preßte eine Hand an die Hüfte.
Einige kamen auf Dreyer zu. Dreyer legte an und schoß über die Dachkante in die Tiefe, dann stieg er behutsam zwischen den Bäumen auf und verbarg sich in den obersten Zweigen, um wieder in die Verteidigung der Hütte eingreifen zu können, falls Not am Mann war.
Plötzlich wurde er von einem seltsamen Anblick gefesselt... Aus Nordosten näherte sich eine größere, amorphe Masse silberner Flüssigkeit über den Bäumen. Sie kam näher, wobei sie sowohl Sternen-

licht als auch die Flammen spiegelte. Sie sah fast wie eine riesenhafte, in der Luft schwimmende Qualle aus. Ihre Form war schwammig und unregelmäßig, ähnelte aber bei näherem Hinsehen einer Scheibe mit ausgezacktem Rand. Sie schimmerte und waberte, während sie auf sie zuglitt. Eine Quecksilberwolke?
Die Größe betrug etwa zwanzig Meter in der Länge der gelatineähnlichen Oberfläche und etwa neun in der vertikalen Achse. Dreyer starrte das Ding an. Ein UFO? Ein Geschöpf von einer anderen Welt? Was es auch war, es war wunderschön. Wie eine flüssige Perle. Während es näher kam, konnte er Gestalten in der Dunkelheit unter dem wabernden Oval ausmachen. Da begann er zu verstehen und ließ sich darauf zutreiben. Unten konnte er Emmys Profil sehen und die schimmernde Scheibe als von Auf-Feldern transportiertes Wasser erkennen, das wahrscheinlich aus einem Bach oder einem nahe gelegenen See stammte. Er steuerte seine Auf-Kräfte denen der anderen bei und genoß das Gefühl der Vereinigung. Das Wasser war nur schwer zu handhaben, doch nachdem er den Verlauf der zusammenwirkenden Auf-Felder erfaßt hatte, konnte Dreyer ergänzen, wo es nötig wurde. Sie dirigierten das Wasser über die brennende Hütte. Wie aus weiter Ferne hörte er Emmy Befehle rufen. Dann ließen sie das Wasser wie durch einen unsichtbaren Abfluß strömen, und eine silbern schimmernde Röhre ohne sichtbare Stütze ergoß sich in die Hütte und erzeugte dort schwarze Rauchwolken. Das Wasser wurde eingesetzt, wo es am dringendsten gebraucht wurde. Binnen weniger Minuten war das Feuer gelöscht.
Durch die vereinten Bemühungen der Indianer und der Verteidiger der Hütte waren die Plünderer mittlerweile zurückgeschlagen worden. Dreyer fühlte sich erschöpft.
Er sank langsam nieder und hustete, als der Wind ihm Rauch und Qualm ins Gesicht blies. Er landete nahe am Hinterausgang, wo sich viele Verwundete befanden.
Der Junge, dessen Hemd gebrannt hatte, lag unter Schockeinwirkung flach auf dem Bauch, eine Frau mittleren Alters kümmerte sich um die Brandwunden an seinem Rücken. Unter den Indianern gab es nur eine Verwundete, eine junge Frau, die sich auf die Lippen biß, während der Stammesdoktor ihr eine Kugel aus der Hüfte entfernte. Überall war Blut zu sehen. Die Szenerie, die nur von Fackeln und getragenen Scheinwerfern erhellt wurde, flackerte unbeständig. »Tully ist tot«, sagte Dreyer. Niemand hörte ihn im allgemeinen Lärm aufgeregter Unterhaltungen zu. Krie unterhielt sich eingehend

mit einer Gruppe Indianer. Es handelte sich um stämmige Männer mit breiten Brustkästen und stolzen Mündern. Sie schienen sehr zufrieden mit sich zu sein. »Wir sind Klamaths«, sagte ein älterer Mann. »Klamaths«, wiederholte er dann. Ein Lederband verhinderte, daß sein weißes Haar über seine ledrigen Gesichtszüge fiel. Dreyer hörte sich ihre Geschichte an. Sie hatten regelmäßig mit der Baumhaus-Siedlung Handel getrieben und eine gute Beziehung zu diesem »Stamm«, wie sie die weißen Siedler nannten, aufrechterhalten. Als sie das verwüstete Lager ihrer Freunde vorgefunden hatten, waren sie wütend und betroffen gewesen und der Spur der Zerstörung bis hierher gefolgt. Sie hatten gehofft, »zur Verbesserung unserer Lage«, auch mit Dreyers Gruppe Handelsbeziehungen knüpfen zu können. Sie selbst stammten aus Südoregon/Nordkalifornien, ein Ableger hatte sich nach Süden ausgebreitet, wo das Überleben angeblich leichter war.

Dreyer entfernte sich wieder von der Gruppe, er schwebte einige Zentimeter über dem Boden, um nicht über Verwundete zu stolpern und um sich die Schuhe nicht mit Blut zu beschmutzen. Emmy kniete neben einem jungen Mann mit gebrochenem Arm. Sie band gerade die letzten Knoten in eine Schulterschlaufe.

»Ich wünschte bei Gott, wir hätten etwas Morphium«, murmelte sie. »Oder *sonst* etwas.«

Dann ging sie zu einem anderen Verwundeten, einem jungen Mann in einer aufgeschlitzten Marineuniform. »Hier«, sagte sie, »ist einer jener Kerle, vor denen uns die Indianer gerettet haben.« Der Mann lag steif da und starrte ins Leere. Seine Hände waren an den Fußknöcheln festgebunden.

»Was für eine ekelhafte Stellung! Ich glaube kaum, daß wir ihn auf solche Art fesseln müssen...«, sagte Dreyer.

»Rühr ihn nicht an, Dreyer«, befahl Krie, der sich von hinten näherte.

Dreyer deutete auf den Verwundeten, der einen klaffenden Riß in der Schulter und mehrere gebrochene Rippen aufwies. »Er ist zu schwer verwundet, um uns angreifen zu können. Es hätte genügt, ihm die Hände zusammenzubinden...«

Krie achtete nicht auf ihn. Er beugte seine mißgebildete Gestalt über den Verwundeten und faßte ihn unter den Achseln. Einer der Indianer, ein großer Mann, der ein wenig angetrunken zu sein schien, ergriff den Unglückseligen an den Knöcheln. Sie trugen ihn aus dem Licht und in den Wald. Dreyer sah ihnen nach. Ein Gewehrschuß er-

tönte. Einige Gesichter schauten auf und sahen zum Waldrand. Keiner sagte etwas.
Dreyer wartete geduldig. Als Krie und der Indianer wieder unter den Bäumen hervorkamen, fragte er mit so ruhiger Stimme wie möglich: »Habt ihr ihn erschossen?«
Krie nickte. Der Indianer zählte ungerührt die verbliebenen Schüsse in seiner Pistole und nickte, dann beugte er sich hinab und packte mit Krie zusammen einen weiteren Verwundeten. »*Krie*...«, begann Dreyer.
Krie ließ den Verwundeten – einen jungen Mann, der weinte und stammelte – sinken und wandte sich an Dreyer. Der Indianer richtete sich ebenfalls auf und zündete eine geschnitzte Pfeife an. Er funkelte Dreyer böse an. »Dreyer, du bist nicht mehr für solche Entscheidungen zuständig«, sagte Krie, dessen Gesichtsausdruck in der Dunkelheit undeutbar war.
»Trotzdem«, meinte Dreyer, »sollte man die Gruppe darüber abstimmen lassen.«
Roland und Jimmy Finch traten näher. Finchs halbes rechtes Ohr war abgeschossen worden. »Ich glaube nicht, daß eine Abstimmung nötig sein wird«, sagte er. »In dieser Hinsicht herrscht Einigkeit.«
»Klar«, bekräftigte Roland und spie aus. »Die Bastarde haben viele von uns umgebracht und 'ne Menge Arbeit vernichtet. Der Winter rückt näher, und die halbe Hütte ist zum Teufel.«
»Schon gut, aber... ich habe auch nicht gesagt, daß wir sie verhätscheln sollen«, protestierte Dreyer. »Doch besteht kein Grund, sie einfach abzuknallen. Vielleicht kann man sie heilen. Vielleicht können wir einigen helfen. Schließlich ist es nicht ihre Schuld, daß sie so endeten. Sie befanden sich in einer streng militärisch geordneten Umwelt, als die Welt aus den Angeln ging. Binnen weniger Sekunden waren alle Vorschriften und Verhaltensnormen ungültig. Außerdem war dieser schwarze Riese bei ihnen. Ich habe die ganze Zeit gespürt, daß er ein Dauerpsychopath war. Wir wissen doch, wie sich Gefühle und Empfindungen durch das Auf-Feld fortpflanzen. Vielleicht war seine Krankheit der auslösende Faktor für die Psychose der anderen. Durch das Auf-Feld übertragen. Wie ein ansteckender Wahn. Wenn wir sie voneinander isolieren, könnten wir vielleicht...«
»Dazu haben wir keine Zeit, Dreyer«, meinte Finch. »Der Winter steht vor der Tür, und wir befinden uns in ziemlicher Höhe. Es wird verdammt kalt werden. Wir müssen die Hütte reparieren, Lebensmittel einlagern, wir müssen eine Heizung bauen – eine etwas wirksa-

mere als die, die wir augenblicklich haben. Wir haben keine Zeit, mörderische Irre zu versorgen. Und wir können sie auch nicht einfach ziehen lassen, dazu sind sie zu gefährlich.«
Dreyer sah nach Emmy, von der er sich Unterstützung erhoffte. Sie war weg. Er runzelte die Stirn.
Krie betrachtete die Pistole, die Dreyer immer noch in der Hand hielt. »Du hast heute nacht auch nicht schlecht geschossen, Dreyer«, sagte er. »Du gibst mir aber nun besser deine Pistole. Ich kann eine gebrauchen, und du ...« Krie verstummte. Er wölbte wütend die Brauen, als Dreyer die Pistole am Lauf packte und in die Büsche schleuderte. Er kehrte Krie den Rücken zu und schwebte zur Rückwand der Hütte, um bei den Reparaturen zu helfen.
Noch viele Stunden lang hallte der Wald vom Stöhnen der Verwundeten wider. Hin und wieder konnte man auch die Schüsse der Scharfrichter hören.

2

Dreyer verzweifelte fast, als er die Gesichter ansah, die sich zur Abstimmung versammelt hatten. Sie boten einen elenden Anblick – jeder dritte war irgendwo bandagiert, trug den Arm in einer Schlinge oder hatte ein zerschlagenes Gesicht. Es würde schwerfallen, eine so angeschlagene Menge davon zu überzeugen, daß Pazifismus der beste Plan für das Überleben der Gemeinschaft war.
Krie beendete die Darlegung seines Projektes mit einer Zusammenfassung: »... ist die Vorbereitung unsere einzige Hoffnung, und das heißt ein solides Verteidigungssystem. Wir werden uns ausbilden müssen, so entbehrungsreich das auch sein mag, und wir müßten auch an die Möglichkeit denken, elektrisch geladene Warnzäune in den Bäumen, am Boden und am Himmel über der Lichtung zu spannen. Das würde uns natürlich nicht vor Angriffen aus der Höhe schützen, aber es würde die Anzahl der Zugangswege drastisch einschränken. So traurig es klingt, am besten wird es sein, wenn wir unsere Miliz zu einer Auf-Feld-Offensivstreitkraft aufrüsten ...«
Nun konnte Dreyer sich nicht mehr zurückhalten. »Miliz.« rief er. »Krie, du wirst uns ohne zu überlegen auf den Zustand vor dem Großen Gewichtsverlust zurückstufen! Wir hatten genug vom Militär! Die halbe Welt ist in den Händen des Militärs, das auch gerade dabei war, die Vereinigten Staaten in seine Gewalt zu bringen, und nur der

Große Gewichtsverlust hat das verhindert und uns die Freiheit gesichert. Aber, was noch schlimmer ist, du sprichst davon, die Auf-Felder zum Töten einzusetzen, wenn ich dich recht verstehe. Du sprichst von unseren Gedanken und unserer Seele – denn das Auf-Feld ist eine Verlängerung unserer Seelen, da kannst du sicher sein – und mich persönlich stößt der Gedanke ab, daß ich...«
»Saure Trauben, Dreyer!« rief jemand von weiter hinten.
Dreyer sah zu Emmy, die nachdenklich zu seiner Rechten neben Bromberg saß. Er hoffte auf Unterstützung von ihr, doch sie starrte nur mit traurigem Blick ins Leere.
»Du selbst hast dein Auf-Feld zum Töten benützt, Dreyer. Ich habe es gesehen. Du hast einen der Marodeure mit einem Pfahl umgebracht«, sagte Krie verschmitzt. »Und du...«
»Ich weiß!« unterbrach ihn Dreyer, den die Erinnerung schmerzte. »Aber ich habe nicht das Feld selbst zum Töten eingesetzt – nicht *direkt*. Der Pfahl befand sich zwischen meinem Feld und dem Mann, den ich getroffen habe. Ich, äh...«
»Dieser Unterschied ist rein rhetorischer Natur. Du hast *unter Einsatz* des Feldes getötet«, entgegnete Krie scharf.
»Na gut«, lenkte Dreyer ein. »Aber das war das *letzte Mal!* Ich behaupte, daß es nicht mehr nötig ist. Wir haben Zeit genug zur Vorbereitung. Wir können ein neues Zuhause suchen... Es gibt noch viele verlassene Gebäude. Dieses hier ist ohnehin beschädigt...« Er deutete zu dem klaffenden Loch im Dach, dann zu den geborstenen Wänden, hinter denen man den blauen Himmel sehen konnte. »Und wenn wir schon weggehen müssen, dann können wir uns auch ein Zuhause im flachen Land suchen, an einem Ort, der sich besser verteidigen läßt. Und, äh, dort könnten wir ein System aufbauen, mit dessen Hilfe wir Angreifer zurückschlagen können, ohne sie zu verletzen. Vielleicht könnten wir als Gruppe ein Feld aufbauen, das sie zurückstößt, aber niemanden verletzt. Es ist *falsch*, mit dem Feld zu töten. Auch ihr könnt das spüren! Das Große Unterbewußtsein befreite sich, um uns den Aufbau einer neuen Gesellschaft zu ermöglichen, ein menschlicheres Zusammenleben, einen Gruppenorganismus mit großer Flexibilität für das Individuum und Toleranz und ohne größere militärische Konflikte...«
»Es ist sehr *gütig* von dir, dich zum Hohenpriester aufzuspielen, Dreyer«, warf Krie trocken dazwischen, »leider existiert die zugehörige Religion nicht. Sehr *schön* von dir, daß du uns die Umstände so scharfsinnig erläuterst. Mir ist aber leider nicht klar, woher ausge-

rechnet *du* wissen willst, was das Große Unterbewußtsein mit uns vorhat und...«
»Du weißt verdammt gut, wovon ich spreche«, fuhr Dreyer ihn zornig an. »Du möchtest eine militärische Situation, da das eine geordnete und überschaubare Gruppenorganisation ist, die dein Maschinengehirn verarbeiten kann...«
»Paß mal auf, Kumpel...«, rief Roland, indem er aufstand. »Was glaubst du eigentlich, wer du bist, daß du uns Vorschriften machen willst, wie wir uns zu verhalten haben? Wir haben diesen Mann gewählt...«
Krie hob die Hand und bat um Stille. Roland verstummte widerwillig. Doch eine wortlose Unruhe nagte in ihnen allen.
»Wir können nichts ändern, wenn Dreyer unbedingt xenophobisch sein möchte. In einer freien Gesellschaft sind seine Vorurteile seine Sache. Er hat Vorurteile gegenüber meinen kybernetischen Fähigkeiten... soll er eben. Das ist aber überhaupt nicht von Bedeutung für das, was wir gerade durchdiskutieren. Die Frage lautet: Wie können wir uns am wirksamsten vor einer Invasion schützen? Ihr habt zwei Versionen gehört, die praktisch alle Möglichkeiten abdecken. Dreyer ist für Rückzug... ich sage: Verteidigen wir unser Zuhause!«
»Krie, keine Propaganda...« begann Dreyer.
»Und nun«, fuhr Krie laut dazwischen, damit man Dreyers Wort nicht mehr verstehen konnte, »kommen wir zur Abstimmung.«
Zwanzig Minuten später war Kries Plan mit einer Zweidrittelmehrheit angenommen worden... Die Versammlung löste sich in Einzeldiskussionen auf.
Emmy unterhielt sich ernst mit Finch. Dreyer saß niedergeschlagen neben ihnen. Ihm kam es so vor, als würde Emmy ihn ignorieren.
»Emmy, glaubst du nicht auch«, warf Dreyer ein, »daß Krie nur auf Macht aus ist und nicht auf das Wohl der...«
»Augenblick mal«, sagte sie rasch zu ihm, »ich möchte nur noch schnell meine Stellungnahme beenden.« Sie sah müde und erzürnt aus, als sie sich wieder an Finch wandte. Sie war die ganze Nacht bei den Kranken gewesen.
Dreyer, der sich zurückgesetzt fühlte, stand auf und ging zum hintersten Ende der Jagdhütte, wo einige der Klamath-Indianer Reparaturen an vom Feuer beschädigten Wänden und Stützpfeilern vornahmen. Kalte Wut schnürte seine Brust zusammen. Er nahm einen Hammer und machte sich daran, einen halbverbrannten Pfosten auszugraben, um seine Wut abzureagieren.

Er arbeitete sechs Stunden ununterbrochen, aber er war immer noch besorgt und wütend, als er zu Bett ging. Er brauchte Emmys Berührung, eine Beruhigung und Bestätigung von ihr. Aber sie schlief bereits erschöpft. Er schwebte zu einer höheren Liege und legte sich hin. Doch die Haltegurte schnürten ihm die Brust zu und waren hinderlich, wenn er sich im Schlaf drehte. Daher löste er sie, bevor er endgültig in tiefen Schlaf sank. Er träumte...

Er träumte, daß er flog. Er ließ die Blockhütte unter sich, und die Welt begann sich zu drehen, ein gigantischer Mahlstrom, eine Art planetenumspannender Sog, der ihn in sein Innerstes saugte, bis er sich hoffnungslos in dem wirbelnden Labyrinth verirrt hatte...

Aber es war kein Traum.

3

»Dreyer?« sagte Bromberg. »Kann mir kaum vorstellen, daß der so etwas versehentlich macht. Er war doch so vorsichtig, immer hat er uns daran erinnert, die Gurte festzuzurren...«

»Und doch«, sagte Emmy traurig, »ist er nur ein Mensch, der wechselnden Gefühlen unterworfen ist. Er fühlte sich entfremdet. Und daher entfremdete er sich selbst aus der Blockhütte und ab ins Unbekannte.«

»Schlafschweben«, sagte Bromberg nickend. »Die Wache hat ihn gesehen. Der Mann sagte, es habe sehr vorsätzlich ausgesehen, und außerdem hat er Kleider angehabt. Aber, verdammt, schließlich hat er ja öfters in Kleidern geschlafen, wenn die Nächte kalt waren. Jedenfalls hatte die Wache den Eindruck, als wüßte Dreyer genau, wohin er wollte...«

»Aber Dicks Augen waren geschlossen! Wer hatte denn zu der Zeit Wache?«

»Krie«, antwortete Bromberg.

»Ich glaube«, kommentierte Emmy traurig, »wir haben in letzter Zeit vergessen, was wir Richard Dreyer verdanken. Ich bin außerdem der Meinung, daß er recht hatte und wir das Auf nicht für kriegerische Zwecke mißbrauchen sollten. Das hätte ich ihm auch sagen müssen. Aber ich war hundemüde, und die ganze Angelegenheit widerte mich an. Ich glaube... ich glaube, ich dachte: *Die Menschen! Immer kämpfen sie nur!*«

Bromberg lachte, aber Emmy nicht.

Sie sahen zum Spätnachmittagshimmel empor, der mit düsteren Wolken bedeckt war.
»Trotzdem – er *könnte* vorsätzlich gegangen sein. Bewußt. Vielleicht irren wir uns«, beharrte Bromberg. »Vielleicht schlafschwebte er wirklich nur.«
Emmy schüttelte den Kopf, sagte aber nichts. Sie war sicher, daß er schlafschwebend von ihnen gegangen war. Sie hatte es im Traum miterlebt, wahrscheinlich eine empathische Rückkopplung seines Auf-Feldes. Sie hatte geträumt, daß er in einen Mahlstrom gesogen worden war, einen grundlosen Wirbel, und er hatte nach ihr gerufen...
»Ich werde ihn suchen«, sagte sie plötzlich und ging in die Hütte, um sich einen Rucksack zu packen.
Als sie den Rucksack übergestreift und auch sonst alle Vorbereitungen getroffen hatte, ging sie zu Krie und wartete geduldig schwebend über dem Dach, bis er ihr seine Aufmerksamkeit schenkte.
»Ich möchte um Freiwillige für die Suche nach Dick bitten. Er hat sich beim Schlafschweben verirrt, ich bin ganz sicher.«
Krie schüttelte den Kopf. Seine Augen blickten eisig. »Ich glaube nicht, daß das nötig sein wird. Ich habe selbst gesehen, wie er sich entfernte. Er schien genau zu wissen, was er tat. Vielleicht hat er sich beleidigt von uns gewendet, vielleicht will er auch alles nur in Ruhe überdenken.«
»Aber der alte George hat ihn auch gesehen. Er sagte, daß seine Augen geschlossen waren. Der alte George...«
»George hat auch nicht mehr die besten Augen. Außerdem ist das Schlaffliegen auch kein willkürlicher Akt. Da er gegangen ist, wollte er uns wahrscheinlich ohnehin verlassen, bewußt oder unbewußt.«
»Du bist ganz einfach nur froh, einen lästigen Rivalen losgeworden zu sein«, antwortete Emmy leise, da sie langsam zu verstehen begann.
Krie lächelte diplomatisch und schüttelte den Kopf. »Nein, nein. Ich kann nur augenblicklich niemanden erübrigen. Wir sind mit den Reparaturen beschäftigt...«
»Ich komme mit!« meldete sich Jimmy Finch, der vom Dachfirst aufstieg. Sein Ohr war dick bandagiert, daher mußte er den Kopf beugen, um Krie hören zu können: »Nein, ich brauche dich hier. Keiner von den guten Zimmermännern.«
Emmy schniefte angewidert. »Ich werde gehen«, sagte sie.
Krie rief ihr noch etwas hinterher, als sie sich in die Richtung wandte, in der Dreyer verschwunden war, doch das ging im Fahrtwind unter. Sie zog die Schutzbrille über und beschleunigte...

Sie suchte den Boden nach Richard Dreyer ab.
Die Hügel glitten unter ihr dahin. Sie warf den Wolken unbehagliche Blicke zu, bisher war sie nur einmal bei Regen geflogen, und es hatte ihr gefallen. Aber da hatte es nicht geblitzt. Sie konnte sich nicht mehr erinnern, wie man sich bei Gewittern verhalten mußte. War man nicht sicher, solange man nicht den Boden berührte?
Wahrscheinlich schon, da sie keinerlei Kontakt mit Metall hatte. Flugzeuge wurden manchmal getroffen, weil Metall ein guter Leiter war. Im Sturm fliegende Wildgänse schienen sicher zu sein. Aber vielleicht zog das Auf-Feld irgendwie die Blitze an?
Sie bedauerte bereits, daß sie mit so wenig Sturmerfahrung so hastig aufgebrochen war. Der Wind nahm zu, die Härchen in ihrem Nacken begannen zu kribbeln. Die Wolken schienen immer näher zu kommen und immer bedrohlicher zu werden. Sie hätte über die Wolken steigen können, aber dort war es elend kalt, und außerdem würde sie dort den Boden nicht sehen können, wo sie Dreyer zu finden hoffte.
Die Dämmerung rückte näher. Wie sollte sie im Dunkeln suchen? Aber Emmy gehörte eben zu der Sorte Frauen, die einem einmal eingeschlagenen Kurs immer weiter folgen.
Sie zitterte, knöpfte ihre Jacke – eine grüne Armeeüberjacke – zu und ließ sich hinuntersinken, wo es etwas wärmer war. Sie fragte sich, ob sie etwas langsamer fliegen sollte, damit sie die Einzelheiten des Bodens eingehender untersuchen konnte. Vielleicht hatte sie Richard bereits verfehlt, weil sie beim Fliegen in die falsche Richtung gesehen hatte. Wie standen überhaupt die Chancen, ihn zu finden? Nicht gerade gut. Sie hegte zwei Hoffnungen. Vielleicht hatte sie Glück und stolperte einfach über ihn, oder ihre Auf-Felder fanden sich und zogen sie psychisch zueinander.
Sie hielt sich nahe an den Baumkronen, bis sie einen Landstrich ohne Baumbesatz erreichte. Dort sank sie hinunter und schwebte dicht über der Grasnarbe. Ihre Nase war kalt, sie fluchte, als ein Käfer gegen ihre bloße Wange prallte.
Die Landschaft schien einsam und verlassen. Richard konnte überall sein. Er hätte im Neunzig-Grad-Winkel abbiegen können, als er das Lager erst einmal hinter sich hatte. Vielleicht war er auch blind gegen einen Baum geflogen. Es konnte auch sein, daß er sich nur wenige Meter vom Lager entfernt befand und in den Büschen unentdeckt verblutete.
Das Land war mit graubraunen Findlingen übersät, dazwischen sah sie niederes Gestrüpp und Buschwerk. Gelegentlich rannte ein Kanin-

chen oder eine Echse unter ihr dahin. Einmal sah sie auch ein Rudel Coyoten, die gemeinsam einen Kadaver zerrissen. Sie flog näher, da sie das Schlimmste befürchtete, doch zu ihrer Überraschung handelte es sich nur um eine Antilope.
Sie kehrte auf ihren Kurs zurück. Aber war sie auch auf dem richtigen Kurs? Wo war die Sonne gestanden, als sie das Lager verlassen hatte? In ihrer Angst hatte sie ganz vergessen, darauf zu achten. Nun hatte sie die sinkende Sonne zur Rechten. Nach Süden. Aber wenn sie nach Süden flog, wo befand sich dann das Lager jetzt? War sie die ganze Zeit über nach Süden geflogen? Oder war sie gelegentlich von dieser Himmelsrichtung abgewichen? Sie kam zum Stillstand und verharrte schwebend und zögernd über einem großen Findling. Sie konnte sich nicht mehr genau erinnern, woher sie gekommen war. Sie befand sich über flachem Land, wo es kaum herausragende Merkmale gab, daher fiel es ihr schwer, sich zu orientieren.
Sie sah über die Schulter. Norden. Ein schimmernder, blaugrauer Vorhang schob sich langsam auf sie zu. Die Sturmfront, die sich bereits ausregnete. Sie würde bald hier sein. Sie mußte rasch fliegen, um ihr zu entkommen.
Aber sollte sie überhaupt weitersuchen? Vielleicht wäre es am besten – nicht zuletzt für Richard –, zurückzukehren und einen Suchtrupp zusammenzustellen, wenn nötig auch ohne Zustimmung Kries. Wenn sie mit mehreren Leuten suchten, hatten sie eine bessere Chance, ihn zu finden.
Wenn sie den Rückweg finden konnte.
Vielleicht war Richard im Freien erwacht, hatte über sich gelacht und war bereits wieder im Lager.
Der Regen prasselte gnadenlos auf sie nieder. Der Wind zerrte heftig an den Büschen und sang kalt in ihren Ohren. Sie mußte sich entscheiden, vor oder zurück.
Dabei empfand sie so ein nagendes *Gefühl*...
Es kribbelte gerade am Rand ihrer Sinneswahrnehmung...
Ein Gefühl, eine Ahnung, eine Intuition, oder eine weitreichende Auf-Feld-Rückkopplung, daß Richard sich vor ihr befand und sie sich ihm langsam näherte. Er war noch sehr weit entfernt, wenn sie ihren Gefühlen trauen konnte. Aber sie konnte ihn ganz bestimmt dort draußen fühlen. Irgendwo.
»Na gut, wenn's sein muß«, sagte sie und atmete heftig aus. Sie konnte den Wind hinter sich riechen. Er roch nach Regen. Der Rucksack wurde immer schwerer. Sie justierte das Auf-Feld nach, damit

das Gewicht auf ihrem Rücken besser ausgeglichen wurde. Sie beugte sich nach vorne und flog gelegentlich höher, um Baumkronen auszuweichen. Wie die meisten geistig gesunden Auf-Flieger, so blieb auch sie beim Fliegen in einer vertikalen Position, da das am angenehmsten war. Sie fragte sich, warum Superman immer mit dem Bauch nach unten flog. Wahrscheinlich wegen des Luftwiderstandes. Das Auf-Feld brach viel von dem Luftwiderstand. Aber sie spürte doch allerhand vom Gegenwind und mußte sich anstrengen, um in einer aufrechten Position zu bleiben. Ihre Rückenmuskulatur verkrampfte sich mit dem Auf-Feld. Und doch hatte sie keinen Einfluß auf diese unwillkürlichen Bewegungen, die sie ermüdeten.

Sie sah über die Schulter und wurde von der unmittelbaren Nähe der Wolkenbank hinter sich aufgeschreckt. Der Sturm griff bereits nach ihr. Sie sah nach vorne und beugte sich, während sie Geschwindigkeit aufnahm, etwas weiter vor, um den Windböen zu entkommen.

Sie beschleunigte noch mehr, wobei sie in zunehmendem Maße den Umriß ihres mit voller Kraft arbeitenden Auf-Feldes spüren konnte. Das war mit dem Geschwindigkeitssinn verbunden, der dem Auf-Feld vorausging, wie die zunehmenden Vibrationen eines Autos, das sich seiner Höchstgeschwindigkeit näherte. Eine Art innerer Resonanz begleitete große Geschwindigkeiten, während die Auf-Energien durch das Fleisch pulsierten. Ein Gefühl, das sowohl erhebend als auch beängstigend war. Vor ihrem geistigen Auge sah sie die Form des Feldes als eine Doppelschleife, in deren Zentrum und Schnittpunkt sie sich befand, so wie Eisenspäne sich in einem Magnetfeld zu einem Muster ordnen. Rechte und linke Gehirnhälfte erzeugten für sich unterschiedliche Resonanzen, geistige Färbung und ihren Teil der Schlaufe. Das Feld umgab den ganzen Körper, ging aber vom Gehirn und dem Rückenmark aus... Am Schnittpunkt der beiden Schlaufen war es am schwächsten, mitten zwischen ihren Augen, daher zuckte sie erschrocken zurück, als der Wind zwischen die beiden Hemisphären wehte und ihr die Brille schmerzhaft auf die Brauen preßte... Unter ihr wurde das Land von trügerischen Schatten bedeckt, über ihr die Sonne von den Wolken aufgefressen. Blitze zuckten über den Hügeln.

Die ersten Regentropfen klatschten auf sie herab, als sie die Feuer der Ansiedlung erspähte.

Es erschien vernünftig, in einer Siedlung zu rasten, denn es wurde dunkel. Sie lieferte sich dem Tod durch Erschöpfung aus – schließlich konnte sie nicht die ganze Nacht Wind und Regen trotzen.

Sie hatte genug. Dabei konnte sie nur hoffen, daß ihr die Leute dort unten im Lager friedlich gesinnt waren. Langsam ließ sie sich hinabsinken...

In einem Tal zwischen zwei flachen Hügeln flogen dunkle Schatten herum. Sie besaßen menschliche Gestalt, doch in der Dunkelheit hatten sie ein geradezu dämonisches Aussehen. Sie schwebten über den Flammen dahin, die aus regelmäßig im ganzen Lager verteilten alten Ölfässern emporloderten. Die fettigen Flammen leckten mit einem fahlen Rot nach oben, halb verborgen von den tiefen Schatten des Tales. Sie griff in ihre Tasche, um sich zu vergewissern, daß ihre Pistole locker im Halfter steckte. Dann nahm sie die Hand wieder aus der Tasche und winkte mit übertriebener Freundlichkeit hinab, während sie sich nervös in das dunkle Tal hinabsinken ließ.

Sie bewegte sich vorsichtig, hörte aber nicht mit dem Winken auf und bemühte sich, immer nur an eines zu denken: Ich bin euer Freund! Keine Feindseligkeiten!

Emmy näherte sich dem Lichtkegel, der von einem der Fässer ausging. Sie konnte gerade noch eine Nissenhütte mit einem rostigen und ausgebeulten Blechdach erkennen, das an einer Ecke tief herabhing. Hier und dort konnte man weitere Hütten im Schatten erkennen, zwischen denen sich lustlose und müde Gestalten einherbewegten, manche am Boden, manche in der Luft. Sie konnte eine Müllhalde und ein überfülltes Vorhaus riechen. Der ganze Ort roch nach Verfall und Unrat. Finstere Gestalten kamen auf sie zu, eine Fackel erhellte die Hälfte eines Gesichtes auf dämonische Weise. Am liebsten wäre sie wieder gegangen. Wäre nicht der Regen gewesen, hätte sie durchaus auch unter einem Findling Schutz suchen können, dachte sie, oder ein Zelt bauen... Aber dazu war es nun zu spät, sie hatten sie bereits eingekreist. Sie wich in die Wärme der Feuerstelle zurück. Es begann zu regnen, die Tropfen verwandelten sich zischend in Dampf, wenn sie auf das heiße Faß aufschlugen. Der Regen wurde immer heftiger, Tropfen klatschten gegen ihre Stirn.

Sie überkreuzte die Arme vor der Brust, um die Hand zu verbergen, welche die unter dem Mantel verborgene Pistole umklammert hielt.

»Gehn Se bloß von dem Faß weg«, sagte eine leise und monotone Männerstimme.

»Oh, ich...!« Sie schluckte. Alle Gestalten schienen männlich zu sein. »Eigentlich fühle ich mich ganz wohl in der Wärme.«

»Schon gut, Lady, aber Ihr Rucksack is' aus Synthetik, der schmilzt Ihnen weg wie Butter...«

»Oh!« Sie nahm den Rucksack von der Schulter und betrachtete stirnrunzelnd den bereits rauchenden Stoff. Der Regen kühlte die schwelenden Stellen ab. »Danke.«
Keiner sagte etwas.
Sie richtete sich auf und legte die Hand an die Waffe.
»Sie können gern in die Hütte kommen, Lady.«
»Oh, äh...«, begann sie nervös, bemühte sich aber, mit fester Stimme zu sprechen, als sie fortfuhr: »Ich glaube, ich stelle mich lieber einfach nur unter diesem Vordach dort unter. Wenn es Ihnen nichts ausmacht. Die offene Seite liegt im Windschatten, und es scheint den Regen abzuhalten.« Sie räusperte sich. »Wenn es nicht schon belegt ist...«
»Der alte Bloom schläft dort – auf einer Seite. Er wird Sie nicht belästigen.«
Sie wünschte sich, sie hätte ihre Gesichter sehen können. Im zunehmenden Regen fiel ihr auch das Hören immer schwerer, das Licht wurde immer gedämpfter, da der strömende Regen die Flammen in den Fässern auslöschte.
Sie wich einen Schritt zurück, als etwas an ihrem Fuß vorüberglitt. Es war eine Schlange, so groß wie ein Mensch, oder ein Mann, der sich wie eine Schlange bewegte... Sie blinzelte hinterher, dann nahm sie die Brille ab, um besser sehen zu können. Es war ein Mann, der mit einem Auf-Feld nur wenige Zentimeter über dem Boden schwebte und langsam in der Nacht verschwand. »Achten Sie nicht auf die«, sagte jemand. Sie nickte und stieg über den Schlamm auf, griff nach ihrem Rucksack und schwebte zu dem Vordach hinüber. Dann nahm sie den zusammengeschnürten Schlafsack herunter, den sie aus dem Ferienlager geholt hatten. Er war mit einer Batterie innen beheizbar, die vier Tage lang hielt, und vollkommen wasserdicht. Sie verschloß den Rucksack wieder, legte den Schlafsack in gebührender Entfernung von der schnarchenden Gestalt des alten Mannes nieder und schlüpfte hinein – aber den rechten Arm ließ sie draußen an der Rucksacktasche, wo sie die Pistole verborgen hatte. Sie schlief unruhig unter dem undichten Dach, hin und wieder tropfte ihr der Regen ins Gesicht.
Das Sonnenlicht weckte sie.
Sie wollte sich aufrichten, aber der Schlafsack hinderte sie daran. Sie öffnete den Reißverschluß und stand vorsichtig auf, wobei sie ihr regenfeuchtes Haar aus der Stirn strich. Die Wolken waren in der Nacht weitergezogen, nur einige weiße Wölkchen standen tief im Osten am blauen Himmel. Die Sonne strahlte in voller Pracht und brachte Was-

sertröpfchen auf Büschen und Blättern zum Funkeln. Im ganzen Lager wurde der schlammige, braune Boden von ihr erwärmt. Sie schien direkt in das Tal, das sich östlich in den Berg hinein erstreckte. Nahe bei den Fässern standen einige verwegen aussehende Männer, die irgend etwas kochten. Frauen oder Kinder konnte sie nicht ausmachen.

Der alte Mann, der an ihrer Seite geschlafen hatte, nahm eine seltsame Stellung ein. Er hatte die Arme abgewinkelt und lag mit dem Gesicht nach unten. Er war von seiner Decke in den Schlamm gerutscht. Sie beugte sich über ihn, um ihn aufzuwecken, dann prallte sie entsetzt zurück. Ameisen krochen aus seinen Ohren. Er war tot, in einer Pfütze ertrunken. Sie schluckte schwer und verstaute den Schlafsack hastig in ihrem Rucksack. Sie hatte gerade den Rucksack übergestreift, als sie aus den Augenwinkeln heraus eine Bewegung wahrnahm.

Sie fuhr herum...

Nahe am Boden schlängelte sich ein bleicher junger Mann mit dunklen Augen, dessen schwarzes Haar hinter ihm herwehte, in einem Auf-Feld dahin. Er glitt dreißig Zentimeter über dem Boden zwischen den Beinen der anderen Lagerbewohner hindurch, die überhaupt keine Notiz von ihm nahmen. Er wurde von einem anderen jungen Mann verfolgt, der ebenso bleich und schlangenähnlich aussah und ebenfalls mit dem Bauch nach unten dicht über dem Boden schwebte. Ein Mann mit unzähligen Narben, dessen Alter man unmöglich abschätzen konnte – er hatte eine schwarze Augenklappe und nur einen Stumpf anstelle der linken Hand –, kam mit einer Schüssel voller Stew auf sie zu. Emmy zögerte und betrachtete das Fleisch nervös. Mehrere Männer musterten sie stirnrunzelnd. Sie holte tief Luft und nahm die Schüssel an. Dann lächelte sie dem Überbringer dankbar zu. In der Schüssel steckte eine gebogene Gabel. Sie aß hungrig und betrachtete nur gelegentlich die schlängelnden jungen Männer. Das Stew war überraschend gut. Dampfend und heiß. Die Sonne brannte herunter, doch der herannahende Winter nahm ihrem Biß bereits die Schärfe, die Atmosphäre absorbierte den größten Teil der Wärme. Die Zeit der Kälte rückte näher, erkannte Emmy. Sie mußte Richard unbedingt *bald* finden.

»Kümmern Sie sich nicht um die«, sagte der Mann mit den Narben und nickte den beiden zu. »Die sind drüben. Ne Menge Leute gehen heutzutage nach drüben, kapiert? Mit Ausnahme von mir. Ich bin noch nich' drüben.« Seine Stimme klang wie eine Ansammlung rostiger Zahnräder, die sich drehten, und als er zu singen begann, da glaubte Emmy, seine schrillen Worte müßten ihre Trommelfelle zum Platzen bringen.

Du bist nicht drüben, solange du noch hier bist...
Bist du wirklich wach?
Nein, du bist nicht drüben, solange du noch hier bist.
Lauf nur deiner Chance nach!

Er hörte zu singen auf und begann zu lachen. Nun erinnerte seine Stimme an eine singende Säge.
Die meisten Männer gingen auf dem Boden, egal, welches Ziel sie hatten. Doch während sie zusah, stolperte ein junger Mann mit flammend rotem Haar über eine Konservendose und stieg instinktiv mit seinem Auf-Feld in die Höhe, um nicht in den Schlamm zu fallen. Doch er setzte die Kraft zu hastig und unkontrolliert ein und schoß drei Meter in die Höhe, wo er um einen Fixpunkt zu kreisen begann. Sein Körper beschrieb eine unsichere Acht in die Luft, während sein Kopf den Füßen hinterherjagte, wie eine verrückte Katze, die ihren eigenen Schwanz verfolgt. Jemand in der Nähe rief: »Lou!« und stieg wütend in den Himmel auf – auch bei ihm handelte es sich um einen rothaarigen Jungen, wahrscheinlich einen Bruder – und unternahm den mutigen Versuch, Lou am Knöchel zu halten, um ihn wieder herunterzuziehen. Doch in dem Augenblick, als der zweite Jugendliche sich in die Luft erhoben hatte, begann er auch schon zu torkeln. Er schraubte sich wie ein Korkenzieher in die Luft und glitt dabei noch immer auf und ab. Der Narbige kicherte und wandte sich an Emmy.
»Ha, sollten vorsichtiger sein. Die meisten von uns schweben nich' so oft im Blauen herum. Läßt einen nich' mehr los. Das heißt, wenn man drüben ist. Wenn der Tag rum ist, werden noch sieben oder acht weitere nach drüben gegangen sein. Manche werden sich wieder fangen und nur 'nen Tag groggy sein. Vielleicht wird der hier dort oben kreisen, bis ihm das Herz stehenbleibt. He!«
Emmy sah mit morbider Faszination zu. Die beiden jungen Männer wiederholten ihre Auf-Muster endlos, hin und wieder konnte sie in ihre ausdruckslosen Gesichter blicken.
... Sie war durch das ganze Lager gegangen und hatte jeden befragt, der ihr begegnet war, und dabei hatte sie allzuoft nur leere Blicke oder unverständliches Murmeln geerntet. Keiner konnte sich daran erinnern, Richard gesehen zu haben, und auch sonst keinen Fremden, außer ihr. Seit Wochen nicht...

Plötzlich brach eine Schlägerei aus. Zwei Hungrige waren wegen einer Portion Essen in Streit geraten. Einer stach mit dem Messer auf den anderen ein. Der andere Mann konnte dem Messer nur entkommen, indem er mit dem Auf-Feld außer Reichweite schwebte.... Augenblicklich beschrieb er eine exzentrische Doppelparabel; er kreiste etwa sechs Meter über dem Boden und ruderte wild mit den Armen. Nun kreisten bereits drei Männer in endlosen Mustern über dem Lager, während die Schlangenmänner einander nahe am Boden verfolgten...

»Kann man denn gar nichts für sie tun?« fragte Emmy den Narbigen, während sie ihren Rucksack festzurrte und den Mantel zuknöpfte.

»Wer's versucht, wird auch mit hineingezogen. Die haben 'n komisch juckendes Ding um sich rum. Hat jeder beim Fliegen. Se torkeln und kreisen und, äh...«

»Sie meinen Auf-Felder? Diese ›juckenden Dinger‹ sind die Auf-Felder?«

»Die was?«

Sie zuckte die Achseln. »Vergessen Sie's. Danke für Ihre Gastfreundschaft.«

Sie trat einen Schritt vor und wollte schon in die Luft aufsteigen, doch dann überlegte sie es sich noch einmal. Womöglich würde die Psychose, die durch die Nähe der Auf-Felder und die umnachteten Gehirne der Fliegenden hervorgerufen wurde, sie so wie die anderen in der Luft packen...

Sie winkte den Männern zu, die sie nachdenklich betrachteten, dann stieg sie den Hügel empor, bis sie das Lager aus den Augen verloren hatte.

Erst dann erhob sie sich in die Luft und schwebte nach Süden.

4

Dreyer saß zitternd neben dem Bach. Er nieste, sein Kopf schmerzte, seine Geruchsnerven waren betäubt, und er hatte leichtes Fieber. Wenigstens war die Sonne endlich hervorgekommen. Er saß auf einem breiten bläulichen Felsen und genoß die Wärme, die von seinem Rükken absorbiert wurde. Das schmale Bachbett verlief zwischen zwei Hügeln, und das Tal war mit Findlingen und Mesquitsträuchern übersät. Daneben gab es auch Kakteen und Gestrüpp. Eine Art unter-

hielt immer noch tapfer einige gelbe Blüten, über denen etwas flatterte – ein Kolibri?
Er hatte die Nacht zusammengekauert unter einem Findling verbracht – schlaflos, besorgt, vor Kälte zitternd und voller Angst vor Schlangen.
»Du Idiot«, sagte er zu seinem wallenden Spiegelbild im Wasser; sein Spiegelbild aber gähnte nur, bevor es von Wellen verwischt wurde. »Du Narr. Hochmut kommt vor den Fall. Und du warst wütend und gekränkt, und in deinem Stolz hast du dich nicht angeschnallt, daher bist du hier im Niemandsland erwacht und hast Hunger. Das Ende vom Lied. Scheißpech, aber nicht unverdient.« Er spie sein Spiegelbild an, um es zu verändern.
Eine Eidechse huschte im Kies zu seinen Füßen vorbei. Er griff hastig nach ihr, verfehlte sie aber um Daumenbreite. »Hätte ich sowieso nicht roh essen können«, sagte er zu sich selbst.
Den größten Teil des wertvollen Tages hatte er damit zugebracht, die Ruinen von Los Angeles zu suchen, damit er sich orientieren und zurückkehren konnte. Aber er hatte sich total verirrt, und die Wolkendecke enthüllte nicht einmal die Position der Sonne ganz zweifelsfrei.
Er stand auf und streckte sich – und wäre um ein Haar in den Bach gefallen. Er war schwach vor Hunger, sein Kreislauf angeschlagen. Er verharrte benommen. Als sich seine Wahrnehmung wieder geklärt hatte, konzentrierte er den Blick auf das summende Tier, das sich an der Blüte stärkte. Er war mehr als drei Meter entfernt, daher konnte er nicht ganz sicher sein, aber aus der Entfernung sah es eigentlich nicht wie ein Kolibri aus, mehr wie ein Insekt. Ein *großes* Insekt. Er trat näher heran. Es blieb lange genug an einer Stelle, um ihn levitieren und leise näher schweben zu lassen, damit er es genauer betrachten konnte. Das Tier verblüffte ihn einigermaßen. Es handelte sich um einen Sphinxfalter, der so groß war wie ein Kolibri und sich auch so bewegte. Die Flügel bildeten einen einzigen Wirbel, der Rüssel tauchte gelegentlich in Blüten ein. »Bist ganz schön spät noch draußen unterwegs«, murmelte Dreyer. »Aber schließlich ist auch ökologisch allerhand aus den Fugen geraten, was wir dem Gewichtsverlust verdanken.« Der Falter hatte ein weißes Muster am Kopf, das stark an ein menschliches Gesicht erinnerte. Die Augen starrten leer herauf...
Ein Schatten senkte sich über ihn. Dreyer sah auf und blickte in ähnlich ausdruckslose Augen. Er erschrak, doch zu seiner Erleichterung sah er sich einem gewöhnlichen jungen Mann gegenüber. Der Kopf

des Mannes war kahlrasiert, ansonsten war er vollkommen nackt und fast haarlos. Es war ein schmucker junger Mann mit regelmäßigen Zügen und dunklen Augen, sein Gesichtsausdruck war durchdringend, aber undeutbar. Der Mann schwebte mehrere Meter über den Mesquitbüschen und verdunkelte etwas die Sonne. Er starrte auf Dreyer herunter...

»Hallo«, sagte Dreyer, nachdem er sich geräuspert hatte. Er richtete sich auf. »Freut mich, Sie zu sehen. Wissen Sie, ich habe mich verirrt. Ich habe die Nacht im Freien zugebracht und habe schrecklichen Hunger. Ich frage mich...«

Der Mann gab ihm zu verstehen, daß er ihm folgen solle, dann bedachte er ihn mit einem abschließenden, abschätzenden Blick, der in Dreyer den Eindruck erweckte, als würde er noch von viel mehr Personen beobachtet werden. Der Fremde vollführte eine anmutige Wendung, dann stieg er rasch über den Hügel empor.

Dreyer konzentrierte sich und folgte ihm weniger anmutig.

Über dem Hügelkamm verharrten sie, dann warteten sie mehrere stille Sekunden lang, bis sich eine Gruppe junger Männer und Frauen zu ihnen gesellte, die dem jungen Mann verblüffend ähnelten und ebenfalls nackt waren.

Dreyer zählte zehn von ihnen. Dreyers junger Mann nahm seinen Platz in ihrer Formation ein – zwei Reihen zu fünf Leuten, die exakt parallel flogen, wobei alle dieselbe Geschwindigkeit hatten und in dieselbe Richtung steuerten. Dreyer gesellte sich höflicherweise ans hintere Ende der Formation, kam sich aber fehl am Platze vor und sah sich außerstande, seine genaue Position zu halten. Er zitterte auf seltsame Weise und folgte ihnen nach Osten.

5

Die Männer, die sich Emmy näherten, flogen auch Formation und ähnelten einander ebenfalls verblüffend. Doch diese Männer waren in eine Abwandlung der alten Khakiuniformen der Armee gekleidet, ihre Hosen steckten in den Stiefeln. Es waren zwanzig. Sie kamen weniger ordentlich zum Stillstand als die Gruppe, auf die Dreyer viele Meilen südöstlich gestoßen war. Einer von ihnen löste seine Waffe von der Schulter und näherte sich Emmy.

Sie verharrte unentschlossen in der Schwebe. Sollte sie versuchen, ihnen zu entkommen?

Aber sie würden auf sie schießen und sie wahrscheinlich ohne Unterlaß verfolgen.
Es war seltsam, dachte sie, während der Soldat näher schwebte, Menschen in geordneter Formation fliegen zu sehen. Sie paßten ihre Bewegungen einander an – nicht ganz so exakt wie marschierende Männer, aber es war doch offensichtlich, daß sie eine weitgehende Einheitlichkeit ihrer Bewegungen anstrebten.
Als er auf zwei Meter herangekommen war, senkte der Mann zu ihrer größten Erleichterung seine Waffe und sagte brüsk: »Sie werden mit mir kommen müssen, Ma'am.«
Nun blieb ihr keine andere Wahl mehr. Soldaten flankierten sie zu beiden Seiten, während sie nach Südwesten flogen.

Viertes Buch

Aufgestiegen: Das säbelrasselnde Skelett des Chauvinismus

1

Nachdem sie drei Stunden lang Formulare ausgefüllt hatte, die noch aus der Zeit vor dem Gewichtsverlust stammten und daher völlig bedeutungslos waren, wobei sie hinsichtlich der Position ihrer Siedlung immer sorgfältig gelogen hatte, wurde Emmy gestattet, ihrerseits ein paar Fragen zu stellen.

Der Mann mit dem Bürstenschnitt, der bereits in mittleren Jahren, aber immer noch so ambitioniert wie ein hitziger Jugendlicher war und der sie mit seinen blauen Augen permanent abschätzend anstarrte, beugte sich erwartungsvoll über seinen Schreibtisch: »Ja?« Er rückte die Krawatte seiner grün-blauen Uniform zurecht.

Sie sah sich in dem Raum nach einer Inspiration um, da sie nicht wußte, womit sie beginnen sollte. Sechs Soldaten standen mit steifen Rücken an der Wand – mit den Füßen auf dem *Boden*. Jeder war in Hab-acht-Stellung und starrte strikt geradeaus. Sie waren Angehörige der Orbitalarmee und so ledernackig, wie es die Marinesoldaten einst gewesen waren. Der Raum war mit frisch bearbeitetem Holz verkleidet, das elektrische Licht – das hin und wieder flackerte, wenn der alkoholverbrennende Generator einmal aussetzte – warf keine nennenswerten Schatten. Sie saß steifer als gewöhnlich in ihrem Sessel, wie sie fand, aber nach einem kurzen Räuspern genehmigte sie sich eine lässigere Haltung und stützte sich mit einem Ellbogen auf dem Tisch ab.

»Niemand steigt hier auf – ich meine fliegt –, zumindest nicht innerhalb der Grenzen des Stützpunkts der OA. Warum nicht?«

Der Offizier, Captain Jocelyn, schien ein wenig überrascht. »Komische Frage, Ma'am. Nun, abgesehen vom Bewegen schwerer Objekte auf Befehl, leistet die Schwerkraftaufhebung einem Herumtollen in der Luft zu sehr Vorschub. Nicht gut für die Disziplin, verstehen Sie? Zu verspielt.«

»Ich bin einigen Marinesoldaten begegnet. Sie konnten sich nicht so gut wie Sie an die geänderten Verhältnisse anpassen. Soweit ich das überschauen kann, bildet Ihre Truppe die einzig funktionierende militärische Streitmacht in den Vereinigten Staaten. Warum?«

Captain Jocelyn schien von dieser Frage angenehm überrascht. Tatsächlich schwoll er vor Stolz geradezu an. Seine Antwort war herzlich: »Tja nun, Ma'am, das liegt meiner Meinung nach daran, daß die OA die verdammt beste Truppe der Streitkräfte ist!«
Gerade als Emmy ungeduldig erwidern wollte, was denn der *wahre* Grund sei, fuhr Captain Jocelyn fort: »Selbstverständlich hängt das damit zusammen, daß sich ein beachtlicher Prozentsatz der Orbitalarmee und der Orbitalpatrouille zum Zeitpunkt der weltweiten Schwerkraftaufhebung im All befand...«
»Orbitalpatrouille und Orbitalarmee sind nicht dasselbe...?«
»Nein, Miss Durant, ah – die OP können Sie an den silberschwarzen Uniformen erkennen. Die OP patrouilliert in den von den USA beanspruchten Weltraumregionen und überwacht Satelliten; die OA ist – war –, kurz gesagt, eine Einsatztruppe, die im Orbit auf Befehle für den Bodeneinsatz wartete. Wir waren lediglich die Reserve für eine Gegenoffensive, auf die man in jedem Fall zurückgreifen konnte. Wir hätten ohne Shuttle ins Herz Rußlands vordringen können. Wissen Sie, wir hatten einen Spezial...«
»Also konnte Ihnen der Große Gewichtsverlust – die weltweite Schwerkraftaufhebung – dort oben im Orbit nichts anhaben. Und als alles vorüber war, da kamen Sie herunter und sahen sich mit einer vollkommen neuen Situation konfrontiert: Die Schwerkraft kam zwar wieder zurück, doch die Zivilisation stand kopf, und jeder verfügte über die Gabe der Levitation und Telekinese, richtig?«
»Nun, das ist essentiell kor...«
»Sie verbanden Ihre Kräfte mit der Patrouille und kamen herunter, um die Welt wieder ›in Ordnung‹ zu bringen und uns zu helfen, uns an die neue Situation anzupassen. Richtig?«
»Allgemein gesprochen ist das...«
»Aber hatten Sie denn nicht jede Menge Chaos in den eigenen Reihen, als Ihre Männer herausfanden, was sie alles anstellen konnten?«
Dieses Mal fiel Captain Jocelyns Antwort recht steif aus. »Unsere Männer waren an die Schwerelosigkeit gewöhnt, das dürfen Sie nicht außer acht lassen. Natürlich ist an dem Phänomen wesentlich mehr dran als nur eine Aufhebung der Schwerkraft. Aber wir bilden unsere Männer so aus, daß sie unter allen Umständen ihre Pflicht erfüllen können, schließlich hat die Menschheit sich ja nicht im All entwickelt. Ich bin stolz darauf, daß es nur zu minimalen Unstimmigkeiten gekommen ist. Was ich traurigerweise von den anderen Streitkräften

nicht behaupten kann. Aber einige Soldaten konnten wir durchaus noch von der Marine, dem Heer und der Luftwaffe rekrutieren. Die Luftwaffe hat teilweise überlebt, wenn sie sich auch einer radikalen Umstrukturierung unterziehen mußte, die sie bis vor wenigen Tagen noch einsatzunfähig gemacht hat. Unglücklicherweise wurde das Strategic Air Command und andere nukleare Anlagen auf geheimnisvolle Weise sabotiert, aber...«

»Jocelyn, Sie Idiot!« brüllte ein kleiner, weißhaariger Mann, der aus einer Tür hinter dem Schreibtisch herauskam.

Captain Jocelyn erstarrte und schnellte in Hab-acht-Stellung.

Der General betrachtete Emmy finster. Er kam auf sie zu, sein Rattengesicht war voller Bosheit, doch er sprach zu Captain Jocelyn. »Sie haben geheime Informationen preisgegeben, Jocelyn.«

»Ja, Sir.« Captain Jocelyns Stimme bebte vor unterdrücktem Zorn.

»Außerdem verschwenden Sie zuviel Zeit mit Herumtreiberinnen. Ziehen Sie die Frau ein und gehen Sie wieder an Ihre Arbeit.«

»Ja, Sir. Sie wurde den Leibgardisten als Assistentin zugeteilt, Sir.«

Er wandte sich um und sprach zu einem der Männer an der Wand, einem kahlköpfigen Schwarzen mit traurigen Augen und Hängebakken. »Bringen Sie Miss Durant zu den Unterkünften der Leibgardisten, Rutledge.«

Der Farbige salutierte und bedeutete Emmy, ihm zu folgen. Sie seufzte und stieg auf, doch sie kam rasch wieder auf den Boden herunter und ging, als der General zu keifen begann. Sie folgte Rutledge.

Draußen stand die Sonne bereits im Westen, ein kühler Wind wehte Papierschnipsel über den Kasernenhof. Hier und da konnte man neue, hastig erbaute Baracken mit Blechdächern sehen. Männer marschierten in Gruppen zwischen ihnen dahin. Sie erinnerten an große Tausendfüßler. Ein Schatten verdunkelte den Kasernenhof und glitt über sie hinweg. Emmy sah in die Höhe, blinzelte in die Sonne und gewahrte sechs Männer, die neben einem Wagen ohne Zugmaschine einherschwebten, den sie in einen anderen Winkel des Forts levitierten. »Ich hoffe, das ist ein Essenstransporter«, grollte Rutledge, der die Hände in den Taschen seiner Khakihosen verstaut hatte.

Da fiel Emmy auf, daß die meisten Armeeangehörigen, die sie bislang gesehen hatte, etwas hager wirkten. »Essen ist knapp hier, was?« fragte sie.

»Zum Teufel, die Bastarde lassen uns verhungern! Aber ich weiß nicht, ob ich außerhalb der Kaserne mehr bekäme. Man hört so Gerüchte.«

»Was für Gerüchte?«
»Über die neuen Lieferungen, die hereinkommen, und auch, was mit den letzten geschehen ist. Schwarzmarkt und solche Sachen. Manche behaupten, die Offiziere nehmen die Lebensmittel an sich und verkaufen sie zivilen Frauen für Sex.«
Sie näherten sich einem niederen, flachen Gebäude, das neu aus roh bearbeitetem Holz erbaut und auf Schlackeblöcken über dem Beton errichtet worden war.
»Hier ist Frils Büro«, sagte Rutledge.
»Glauben Sie, daß bald eine Essenslieferung kommen wird? Ich bin richtig ausgehungert.«
»Ja«, antwortete er. »Ich hab gehört, daß sie etwas von der russischen Front erbeutet haben. Nachschubkolonnen sind Ihnen in die Hände gefallen, oder sowas.«
Sie blieb stehen. »Russische Front?«
»Klar, Lady.«
»Was soll das heißen, russische Front?«
»Wo kommen Sie denn her, Lady? Wir haben Krieg mit den Russen. Die USA erklärten den Krieg, als diese Bastarde die Ostküste und Mexiko überfielen.«

2

»Ihr sagt, ihr seid alle eine Person«, sagte Dreyer zu dem jungen Mann, der neben ihm saß. »Aber meinst du das im Geiste, oder... ich meine, ist es wie beim Animismus, daß der Geist die Steine und Bäume und Tiere und Menschen eint...«
»Wir meinen es buchstäblich«, antwortete der junge Mann. Und kaum hatte er das gesagt, wandten sich alle anderen jungen Männer und Frauen (alle nackt, alle von etwa gleicher Größe, mit Schwankungen unter den Geschlechtern, alle mehr oder weniger gleich in der Mimik – und alle mit demselben Gesichtsausdruck) ihm zu und sahen ihn liebenswürdig an. Alle im selben Augenblick, alle mit derselben Verbeugung des Kopfes... Auf dem Boden, im Mittelpunkt des Zimmers, lag der Hermaphrodit. »Die Quelle von Allem«, sagten alle gleichzeitig.
Der Hermaphrodit lag auf ihrem Rücken... *Seinem* Rücken? Dreyer schüttelte den Kopf. Er konnte den Hermaphroditen nur als weiblich einstufen, so falsch das auch sein mochte... also auf *ihrem* Rücken,

die kleinen Brüste zitterten. Ihr Gesicht war hübsch, wenn auch knabenhaft und fast der Prototyp aller anderen Gesichter in der Kolonie (wie sie es selbst nannten, was Dreyer immer an eine Ameisenkolonie erinnerte, ob er wollte oder nicht). Ihre Hüften waren von der Taille bis zu den Schenkeln ungewöhnlich lang, so daß die beiden Genitalien, das männliche direkt oberhalb des weiblichen, fast wohlproportioniert wirkten. Ihre Augen waren geschlossen. Ihr Körper schien aus Porzellan zu bestehen, blaue Venen waren unter der weißen Haut sichtbar. Verlangen regte sich in Dreyer, ein seltsam abseitiges Verlangen, das von dem Wunsch beseelt wurde, sich selbst zu entdecken. Er bemühte sich, seine Gedanken von diesem Kurs abzubringen (wenn er sich von dem Hermaphroditen anziehen ließ, gab er vielleicht auch dem subtilen, unterschwelligen Drängen der ganzen Gruppe nach, die ihr psychisches Netz auswarf und ständig unausgesprochen lockte: *Komm zu uns*), und fragte die Frau zu seiner Rechten: »Ist das die Quelle von Allem?« Er deutete auf den Hermaphroditen.

Der Mann zu seiner Linken antwortete ihm. »Das ist das gemeinsame Ich. Der Familienzusammenhalt. Wir alle sind nur Verlängerungen der Quelle.« Die Frau rechts nickte zustimmend, ohne allerdings dabei ihre Miene zu verändern. Sie hatte gleichzeitig mit dem Mann geantwortet. Dreyer verstand langsam; sie alle waren nur Ausläufer eines einzigen Geistes, verbunden durch die Quelle von Allem.

»Wie lange ...« – Dreyer deutete auf den Hermaphroditen – »... dauert dieser Zustand schon an?«

»Seit zwei Mondzyklen, nach der Externen Ereignisrechnung gezählt«, antworteten der Mann und die Frau gleichzeitig.

In perfekter Übereinstimmung.

»Warum sprichst du immer nur mit dem Mund?« fragte die Quelle von Allem durch die anwesenden Frauen und Männer. Die ganze Gruppe hatte gleichzeitig gesprochen, obwohl keiner Dreyer ansah. Ein freies Rezitieren.

»Ich werde offen sprechen«, sagte Dreyer und wünschte, sie würden etwas zu essen bringen. »Ich blockiere die geistige Kommunikation ganz bewußt, da ich Angst habe, in deine Kolonie absorbiert zu werden. Ich fühle eure Musik, euer psychisches Singen, und für meinen Geschmack ähnelt es zu sehr dem Sirenengesang der griechischen Mythologie. Ich möchte nicht absorbiert werden und meine Individualität im Gruppenverstand verlieren. Noch nicht.«

»Du bist immer nur ein Individuum«, sagte die Quelle von Allem.

»Doch ist die Illusion, ein Individuum abseits von dem Einzigen Individuum des Kosmos zu sein, in dir besonders ausgeprägt. Ich werde nicht versuchen, die Trennbarrieren zwischen dir und der Einheit niederzureißen, da du derzeit noch untragbar für die Kolonie bist.«
»Hä?« Dreyer war amüsiert, aber gleichzeitig auch etwas verärgert. »Untragbar? Was...?«
»Du bist zu alt und nicht der geeignete physische Typ. Andere Kolonien werden andere Typen benötigen, die für eine ordentliche Übereinstimmung der verschmelzenden Individuen eben der betreffenden Kolonien besser geeignet sind. Du könntest für eine andere Kolonie geeignet sein, außer daß du zu alt bist. Die Quelle von Allem erschafft nur mit den Ersten und deren Abkömmlingen. Du wirst einen weiteren Zyklus des Karma abwarten müssen, bis du einen neuen Körper bekommst und damit eine neue Chance zum Eintritt in eine Kolonie auf dieser körperlichen Ebene. Wenn du aber vor der Erringung eines neuen Körpers verschmelzen möchtest, wirst du die Erleuchtung ohne Unterstützung der Quelle von Allem suchen müssen.«
»Ich glaube, nun verstehe ich. Ich glaube schon...«, murmelte Dreyer. »Du sagtest, die Quelle von Allem befinde sich erst seit zwei Mondzyklen hier. Seit zwei Monaten. Also nach dem Gewichtsverlust. Vor zwei Monaten verwandelte diese Person hier sich physisch in einen Hermaphroditen. Einen voll ausgebildeten Hermaphroditen. Und es war, als hätte dieses Potential die ganze Zeit in ihm, äh, ihr geschlummert. Der Gewichtsverlust löste die endgültige Metamorphose aus, machte sie zum Hermaphroditen und zog auf telepathischem Wege die Aufmerksamkeit aller geeigneten Wesen auf sich, um eine Kolonie mit gemeinsamem Verstand zu gründen. Das wurde durch das Medium des Auf-Feldes bewerkstelligt und – *oh, mein Gott, ihr gebt das alles direkt in meinen Verstand ein...*«
»Nähre nicht deine irrationale Angst mit weiterer Panik.« Wogen der Beruhigung schlugen über Dreyer zusammen und dämpften seine heftige Reaktion auf den ungewollten telepathischen Kontakt. Er verspürte lediglich einen kurzen Augenblick der Desorientierung, als er wie durch ein facettenreiches Auge kaleidoskopähnliche Visionen fünfzig verschiedener Blickpunkte empfing, die alle in der Quelle von Allem mündeten. Er zog sich zurück und wurde geistig wieder zu *Richard Dreyer* allein. »Wir hatten nur versucht, besser mit dir zu kommunizieren. Wir werden dir direkt weitere Daten einspeichern«, verkündeten fünfzig Münder wie einer. Alle Augen waren auf den stummen Hermaphroditen gerichtet.

In diesem Augenblick schwebten fünfzig Schüsseln voller Stew in einer ordentlichen Reihe ins Zimmer. Vor jedem Wesen sank eine zu Boden, mit Ausnahme des Hermaphroditen, der nur geistige Nahrung zu sich nahm. Dreyer aß das dampfende, proteinreiche Stew heißhungrig, wobei er die Finger benützte oder einfach nur schlürfte, wie die anderen auch. Es gab nur eine Ausnahme, alle anderen aßen mit synchronen Bewegungen, wie miteinander verbundene Maschinenteile. Ihre Kiefer bewegten sich in exakter Übereinstimmung auf und ab.
Als Dreyer gegessen und aus einer Kürbisflasche getrunken hatte, fragte er: »Da ich, äh, als Koloniemitglied ungeeignet bin, darf ich ja wohl gehen?«
»Ja«, sagten fünfzig Münder gleichzeitig. »Du störst die perfekte Harmonie des Haushalts mit separatistischen Gedanken. Es ist besser«, fügten alle einhellig hinzu, »wenn du gehst.«
Während er aufstand, hörte Dreyer den Hermaphroditen zum erstenmal mit eigenem Mund sprechen. »Der andere Pol deiner gespaltenen Zelle versucht dich zu erreichen.«
Dreyer dachte über dieses Rätsel nach. Pol? Der Pol seiner gespaltenen Zelle? Ein anderer Teil seines Selbst, ein andersgeschlechtlicher Teil.
»Du meinst... Emmy?«
»Das ist die Bezeichnung, die du dem Gegenpol deiner Zelleinheit gegeben hast. Du siehst diesen Aspekt deines Seinsstadiums als separat, da dein Satsang sich auf einer niedereren Chakra befindet, denn in diesem Stadium deiner Evolution ist einzig die Dimension der Zeit dein Guru.« Was auch immer das bedeuten mochte, es wurde jedenfalls mit aller Überzeugung vorgebracht. Dreyer war verwirrt, wollte aber seinen Geist nicht für eine telepathische Klärung der Worte öffnen. »Wenn du spürst, daß Emmy nach mir sucht, kannst du dann auch Kontakt zu ihr herstellen?« fragte er.
»Dein Volk ist der andere Strom«, sagte der Hermaphrodit zur Decke gewandt, seine Augen bewegten sich unter den Lidern. »Einer von uns wird sich als der tauglichere erweisen. Die Natur wird entscheiden.«
»Kannst du uns zueinander führen, sie und mich?« beharrte Dreyer.
Der Hermaphrodit schwieg. »Sie« öffnete den Mund zum Sprechen.
Dreyer biß sich auf die Lippen und wartete auf »ihre« Antwort.

3

»Ich hoffe, ich kann nach all den Jahren überhaupt noch Diktate aufnehmen«, murmelte Emmy, deren Bleistift über dem Block verharrte. »Das habe ich zum letztenmal als Teenager getan, dann kamen die selbstprogrammierbaren Sprachumwandlungsdiktaphone auf, die immer funktionierten und billig waren, da war man dann nicht mehr auf die Kurzschrift angewiesen...«
»Tut mir leid, solche Diktaphone haben wir hier nicht.« Die Worte wurden mit einer Spur Ungeduld ausgesprochen. »Mal sehen, was Sie noch von der alten Kurzschrift beherrschen. Ah...« Er verstummte und verschränkte die Arme hinter dem Rücken, während er zum Fenster hinaussah. Seine Brauen zogen sich zusammen, sein Mund war verkniffen. Er räusperte sich. »Es ist wohl am besten, wenn wir damit anfangen...«
»Wann gibt es hier eigentlich etwas zu essen?« erkundigte sich Emmy. »Ich wurde heute erst gefangengenommen, und eigentlich sollte man die Gefangenen wenigstens verpflegen.«
»Sie sind keine Gefangene, Sie wurden eingezogen«, berichtigte Fril etwas irritiert. »Falls da ein Unterschied besteht.« Er seufzte und zuckte die Achseln. »Ich selbst wurde auch erst vor ein paar Wochen eingezogen. Man erwartet von *mir*, daß ich den Papierkrieg des Stützpunktes erledige, wo alle zehn Minuten dieser blökende General hereingerannt kommt und etwas von ›geheimen Informationen‹ erzählt.« Er seufzte wieder, dann fuhr er gewichtiger fort: »Als ob es hier so etwas wie Geheimhaltung geben könnte. Dieser Ort wimmelt nur so von Spionen und Telepathen, das weiß jeder. So wie auch *jeder* von der Sabotage an den Kernwaffen weiß...«
»Sogar ich«, pflichtete Emmy gönnerhaft bei und räkelte sich in ihrem Sessel.
»...und dabei hat die Armee immer noch nicht den leisesten Schimmer, weshalb die verdammten Dinger nicht funktionieren.«
»Ich habe einen Schimmer, weshalb«, sagte Emmy.
Fril schien es nicht gehört zu haben. Er war etwa vierzig und untersetzt. Seine Lippen waren entweder wütend zusammengekniffen oder hingen schlaff herunter, als würde er immer zwischen Wut und Resignation hin und her schwanken. Er hatte dichte Brauen, die einen seltsamen Kontrast zu dem fast kahlen Kopf bildeten. Seine Augen waren dunkel und schienen ständig besorgt. Er schwebte wenige Zentimeter über dem Boden, obwohl das gegen die Vorschriften verstieß.

Seine Uniform war zu klein. »Stickig hier drinnen«, sagte er und gestikulierte unwirsch zum Fenster. Sein Auf-Feld öffnete es für ihn.
»Sehr geschickt«, lobte Emmy. »Sie können Gegenstände gut bewegen.«
»Ja. Hier darf man es allerdings nur während der Ausbildung oder in Notfällen. Ich bin zur Telekineseausbildung herangezogen worden«, fügte er noch stolz hinzu.
»Nun denn«, fuhr er dann abrupt fort, »kommen wir zur Sache. Die Überschrift lautet: *Großes Bild. Anweisungen für Front- und Feldoffiziere der OA.*« Er seufzte und rollte mit den Augen. »Geheim. Nur für den Dienstgebrauch.« Er sah Emmy an und konnte sich sogar zu einem Lächeln durchringen. »Wie kommen Sie voran, Miss Durant?«
»Bisher ganz gut. Wann gibt's was zu essen?«
»Sie sind sehr hübsch.«
»Sie sind sehr freundlich«, erwiderte sie trocken und sah vielsagend in ihr Notizbuch.
»Wollen Sie mich zum Essen begleiten? Es ist nicht viel, aber im Offizierskasino ist es immer noch besser als in der Mannschaftskantine. Ich bin Captain, wenn Sie mich also begleiten wollen...«
»Nehme ich gerne an. Wann?«
»Wir sollten wenigstens noch die Anweisungen beenden. Ich werde mich beeilen. Ist ohnehin nur eine kurze Auflistung, die endgültige Version bekommen wir später. Ah... hmhm... hier. Also los. Im derzeitigen Stadium des Krieges mit Rußland und dem von Rußland besetzten Europa machen es außergewöhnliche Umstände nötig, daß wir uns alle an ein vollkommen neues Konzept der Kriegführung gewöhnen.« Er räusperte sich, während Emmy emsig schrieb. Er fuhr fort: »Konventionelle Waffen werden wie bisher zur Anwendung kommen, wenn die Truppen Feindkontakt haben, es sei denn, es ergehen anderslautende Befehle. Doch im Logistiksektor werden alle Fahrzeuge und Transporter durch Schwerkraftaufhebung transportiert, wie es bei der Gegenseite bereits die Norm ist. Auch der Truppentransport wird, wenn möglich, durch geordnete Schwerkraftaufhebung bewerkstelligt werden, wobei die Soldaten in engstmöglicher Formation fliegen müssen, um gegen Desertieren vorzubeugen. Hinsichtlich dessen gilt folgende Generalstabsanweisung: Deserteure sind sofort zu erschießen. Wir befinden uns im Kriegszustand. Weiterhin...«
»Ich frage mich, ob der Präsident überhaupt noch lebt«, überlegte Emmy. »Oh, tut mir leid, ich hätte nicht...«

»Nein, nein«, murmelte Fril. »Der Präsident ist tot. Washington wurde kurz nach dem Gewichtsverlust von den Farbigen aus den Ghettos niedergebrannt. Er wurde öffentlich gehängt. Dieses Gebiet ist augenblicklich von den Russen besetzt.«
»Tatsächlich? Besetzt?«
»Ja, aber ihr Truppenkontingent ist vergleichsweise gering. Sie haben den größten Teil ihres Militärs beim Gewichtsverlust eingebüßt – Tod, Desertion oder Wahnsinn. Man behauptet, daß ein Drittel der russischen Bevölkerung sich in nichtkommunistische Gebiete abgesetzt hat. Von den Chinesen ist kaum etwas bekannt. Aber wir sollten wirklich weitermachen, meine Liebe, schließlich wollen Sie doch zum Essen gehen, oder?«
»Tut mir leid.« Emmy ließ den Bleistift wieder über den Block kreisen.
»Ah... um diese neue Form der Kriegführung im richtigen Licht sehen zu können, ist es am besten, sie ganzheitlich zu sehen. Eine neue Dimension muß hinzugefügt werden, nämlich die des Schwerkraftaufhebungsfeldes, kurz S-Feld genannt. Wir müssen uns zunächst vergegenwärtigen, daß es einen Aspekt des S-Feldes gibt, der zunächst nicht wahrnehmbar ist, nicht einmal für die psychisch Empfänglichen. Es handelt sich dabei um den Effekt, der den Gruppenverstand oder die *Psychus Matrix* umfaßt. Die Psychus Matrix, die im folgenden Psychus genannt werden soll, ist der Prüfstein der Gruppenmentalität. Es ist, als wären unsere Gedanken Glühbirnen in einer Leuchtschrift. Jede Birne scheint individuell für sich, ist aber Bestandteil eines größeren Musters und steht so in Beziehung zum Ganzen. Dies ist aber eine Ganzheit, die wir erst dann erkennen können, wenn wir uns vom Blickpunkt der einzelnen Glühbirne gelöst und das Gesamtbild in uns aufgenommen haben.« Er zögerte. »Übersteigt das die Metapher, Miss Durant?« fragte er dann.
»Schon möglich, aber es ist ja auch ein schwieriges Thema. Man könnte den Prozeß mit einem Muster vergleichen, das Formationsläufer auf einem Footballfeld erzeugen – man muß sie aus großer Höhe sehen, erst dann kann man erkennen, daß sie den Namen des Teams bilden.«
Er zog eine Braue in die Höhe. »Sie begreifen das Konzept ausgezeichnet. Doch die Glühbirnen-Metapher bringt noch den Vorteil mit sich, sie bringt den Faktor hinzu, daß alle Glühbirnen aus ein und derselben Stromquelle gespeist werden. Ah... drücken Sie die letzte Bemerkung mit eigenen Worten aus, Miss Durant. Und dann weiter: Der

Psychus eint die Gehirne, die ihre S-Felder unsichtbar einsetzen, doch unsere Forschungen haben gezeigt, daß diese Einheit die Felder in mancher Hinsicht abhängig macht. Je mehr Leute zugegen sind, desto besser funktionieren die Felder. Und je ähnlicher sich diese Menschen geistig sind, desto leistungsfähiger sind ihre Felder. Die Felder haben die Tendenz, sich um bestimmte Denkstrukturen herum zu entwikkeln. Das bedeutet, sie sind abhängig von kulturellen Einflüssen und Medien, die die betreffenden Personen gemeinsam haben. Als Resultat daraus ist Nordamerika Bestandteil eines Psychus-Feldes – obwohl die meisten Menschen sich gar nicht darüber im klaren sind, daß sie in dieser Form zusammenhängen. Europa und Rußland teilen sich ein weiteres Feld. Großbritannien wurde verwüstet, wir wissen nicht, wo die Engländer stehen. Die südamerikanischen und afrikanischen Republiken sind in mehrere rivalisierende Psychusse zersplittert, dort herrscht zuviel Feindseligkeit, als daß ihre Felder sich zu einem vereinen könnten. Jedenfalls im Augenblick noch. Andererseits scheint Asien, besonders China und Indochina, unter einem Psychus geeint zu sein, wenn dieser von Zeit zu Zeit auch amorph und undiszipliniert scheint. Das ist auf die wechselwirkenden Einflüsse ihrer unterschiedlichen Dialekte, Subkulturen und politischen Systeme zurückzuführen... Können Sie mir noch folgen, Miss Durant?«
»Ja, es geht noch, danke. ›Politische Systeme.‹ Jetzt. Was haben Sie getan, bevor Sie eingezogen wurden, Fril?«
»Ich war Professor der Soziologie und Politik. Neue Schule. Aber zurück zur Arbeit: Rotchina scheint sich in Richtung eines sehr bewußt kontrollierten Gruppenverstandes zu entwickeln. Wir erhielten einige sehr seltsame Berichte von dort. Etwas über den ›Kult des Hermaphroditen‹ und – oh, streichen Sie die letzte Zeile. Die beiden letzten Zeilen. Ohne Bedeutung. Ah, fahren wir fort: Wir werden also Zeuge der Entwicklung dreier rivalisierender Psychusse – ich habe mich für das Wort *Psychusse* entschieden, nicht *Psychi*, denn schließlich habe *ich* den Ausdruck ja erfunden, Miss Durant... oder heißt es Mrs. Durant?«
»Nennen Sie mich Emmy. Ich bin nicht verheiratet.«
»Nein? Schön. Äh, drei rivalisierende Psychusse, die in den Krieg verstrickt sind. Der Nordamerikanische Psychus, der Russisch-Europäische Psychus und der Chinesisch-Indochinesische Psychus. Wir haben Krieg mit den Russen, aber nicht mit den Chinesen. Aber die Chinesen haben ebenfalls Krieg mit den Russen, und das ist im Augenblick gut. Wir können keinen orbitalen Schlag gegen die russischen

Linien führen, worauf einige Generäle drängen, da wir nicht über die Treibstoffvorräte verfügen, um die Shuttles hoch und die Kampfeinheiten auf die Erde zu bekommen. In absehbarer Zukunft wird es sich lediglich um eine Front-an-Front-Konfrontation handeln, wobei die Möglichkeit begrenzter Luftkämpfe nicht auszuschließen ist – auch unsere Treibstoffreserven für Düsenjäger sind sehr begrenzt. Da der Großteil der Scharmützel mittels der neuen Kriegführungstechnik der Schwerkraftaufhebung vollführt werden wird, in der uns die Russen weit voraus sind... Oh, streichen Sie die letzte Bemerkung über die Überlegenheit der Russen, Emmy. Dies wird ihnen vielleicht in die Hände fallen, und es ist besser, wenn sie nichts von unseren Schwächen erfahren. Weiter im Text: ... vollführt werden, und da die Effektivität dieser Kriegführung von der Solidarität in unserem lokalisierten Nexus des Psychus abhängig ist, ist es zwingend notwendig, daß ein Geist des überzeugten Patriotismus und der höchsten Moral in den Männern geweckt wird. Vorschläge, den Männern stimulierende Drogen zu verabreichen, um dies zu bewerkstelligen, wurden berücksichtigt und werden bereits in Laborversuchen getestet. Sämtliche Mittel, geistige Solidarität und einen allgemeinen *esprit de corps* in der Truppe hervorzurufen, müssen zum Einsatz kommen. Es ist von größter Bedeutung, daß der Psychus in sich selbst als Kampfinstrument diszipliniert wird. Die Moral der Truppe ist wie niemals zuvor oberstes Gebot. Die Männer sollten gut ernährt und mit Respekt behandelt werden, ganz besonders in den letzten vierundzwanzig Stunden vor einem Gefecht. Wenn man sie hin und wieder hungern lassen muß, damit man sie vor Kampfhandlungen durch gutes Essen in bessere Stimmung versetzt, so geschehe es. Benehmen ist alles. Dabei darf niemals vergessen werden...« Er legte eine dramatische Pause ein und schien selbst ganz gefesselt von seinen Ausführungen. »Der Krieg ist buchstäblich ein Kampf des Willens geworden. Unser Selbstbewußtsein steht gegen ihres, und ohne die Einheit des geistigen Gebarens bei den Mannschaften wird unsere Einsatzmöglichkeit der S-Felder in Kampfhandlungen sehr eingeschränkt sein... Die nächste Anweisung wird sich mit der Grenzkontrolle des Psychus befassen, des weiteren mit Talentsuche, der Ausbildung von Telepathen und Techniken zur Entlarvung telepathischer Spione... Gehen wir zum Essen, Emmy.«

4

Emmy blieb fast eine Stunde still sitzen und hörte den Unterhaltungen im Offizierskasino zu.
Sie hatte zwei Portionen Wildhase und hinterher Obstsalat gegessen und dabei immer schuldbewußt an die Essensknappheit in der Mannschaftskantine gedacht. Nun hörte sie nur noch zu und bemühte sich, sowenig Aufmerksamkeit wie möglich zu erwecken, während sie versuchte, Informationen für einen Fluchtversuch zu sammeln. Dabei wurde ihr in zunehmendem Maße deutlich, daß sie den militärischen Standpunkt nicht teilen konnte, wie die Welt in der Post-Gewichtsverlust-Ära organisiert werden sollte. Immer wenn sie den Ausdruck *Kriegführung durch Gravitationsschwund* hörte, fühlte sie sich besonders unbehaglich.
»Die hauptsächlichen Schwierigkeiten«, hörte sie den befehlshabenden Leutnant der Forschungsabteilung gerade sagen, »bestehen darin, den Wünschen des Generalstabes hinsichtlich der Entwicklung einer funktionierenden Direktangriffsmethode mittels des S-Feldes gerecht zu werden. Es spielt keine Rolle, wie loyal ein Mann ist, seine empathische Reaktion wird unwillkürlich mit ins Spiel kommen, wenn er versucht, einen gegnerischen Soldaten mit seinem Feld zu zerschmettern oder sonstwie zu töten. Die beiderseitige telepathische Rückkopplung ist zu groß. Die Vorstellung, daß wir ein zuverlässiges ›empathisches Rückkopplungsfeld‹ entdecken, bevor die Kampfhandlungen beginnen, ist einfach absurd...«
Der rattengesichtige General, wie Emmy ihn nannte, Pagolini, fiel ihm ins Wort. »Sie beschweren sich zu oft, Leutnant, wie alle Männer in der Forschung. Sie sind wahrscheinlich der Meinung, Sie würden eine Sonderstellung einnehmen. Warum erzählen Sie uns denn nicht wenigstens einmal, daß etwas *machbar* ist, hm?« Er goß sich Kaffee ein. Er hatte den Vorwurf ausgesprochen, ohne den jungen Offizier auch nur eines Blickes zu würdigen. »Wie auch immer...« Er trank einen Schluck Kaffee und zitterte etwas. Emmy konnte das Aroma noch zwei Sitze weiter wahrnehmen, offensichtlich gab der General noch zusätzliche Aromastoffe hinein. »... wir planen augenblicklich keinen Angriff. Wir halten lediglich unsere Positionen und beschießen den Feind mit S-angetriebenen nichtexplosiven Geschossen – Steinen, Baumstämmen, was Sie wollen – sowie einem gewissen Ausmaß an S-geleitetem Granatfeuer. Es besteht die Hoffnung, daß die Orbitallaser gewisse Erfolge bringen, wenn wir die Abstrahlstationen

wieder in Betrieb nehmen können.« Er lehnte sich in seinem Sessel zurück und strich über sein weißes Haar. Bei näherem Hinsehen gewann Emmy den Eindruck, daß das Haar des Generals gefärbt war. Damit er würdevoller aussah?
Fril räusperte sich und mischte sich in die Unterhaltung mit dem General ein. »Soweit ich informiert wurde, haben die Indianer wieder einen Nachschubwagen erbeutet...?«
Emmy sah scharf auf. »Indianer?«
»Stimmt«, sagte Fril, der ein wenig amüsiert schien. »Nun schon zum drittenmal. Offensichtlich haben sie vor, den Kontinent wieder unter ihre Herrschaft zu bekommen!«
Sporadisches Gelächter wurde unter den Offizieren laut.
Der General blieb finster. »Dies bietet kaum Anlaß für billige Scherze, Fril. Jedenfalls glaube ich nicht, daß es die Familien der bei dem Überfall Getöteten so witzig finden werden... Es sind einige Indianerstämme in die Angriffe verwickelt, aber am schlimmsten treiben es die Klamaths. Scheint ein großer und aufrührerischer Stamm zu sein. Sie benützen die Solidarität aller Indianer als Vorwand zum Plündern. Eine alte Geschichte. Man muß diesen aufmüpfigen Grüppchen nur den kleinen Finger reichen, und schon wollen sie die ganze Hand. Wir haben die Wachen an den Vorratslagern verdoppelt, Kundschafter suchen nach ihren Lagern. Wir werden sie finden.«
»Rein aus beruflicher Neugier, Sir«, wandte der Leutnant ein, »welche Angriffswaffen setzen die Indianer ein?«
»Haben Sie denn die Informationsschrift nicht gelesen?« fragte Pagolini boshaft. »Aber wahrscheinlich sind Sie dafür viel zu sehr *beschäftigt,* richtig? Sie griffen vom Boden aus an, was unsere Jungs überraschte, da wir sie die ganze Zeit auf Luftkämpfe mit dem S-Feld getrimmt haben. Und sie haben Gewehre. Sie schossen unsere Wachen ganz einfach herunter. Zwei der Männer konnten entkommen.«
»Hat jemand beobachtet, daß die Russen einen Direktangriff mit den Feldern durchgeführt haben?« erkundigte sich Fril nervös.
»Nein«, antwortete Pagolini. »Nur S-geleitete und konventionelle Waffen. Wenn wir die Ursache für das Versagen der Kernwaffen herausgefunden haben...« Nun schien er zum erstenmal von Emmy Notiz zu nehmen. »Ist diese Frau autorisiert, hier zu sein?«
Um Fril Peinlichkeiten zu ersparen, sagte Emmy: »Ich wußte nicht, wohin ich mich sonst wenden sollte. Ich hatte Hunger. Ich wurde an die Arbeit geschickt, kaum daß die Aufnahmeformalitäten erledigt waren. Niemand hat mir den Aufbau des Stützpunkts erklärt...«

»Wir sind personell unterbesetzt, zudem haben wir keine Zeit, Neuankömmlinge zu verhätscheln«, fuhr Pagolini sie an.
»Und was die Kernwaffen anbelangt«, fuhr Emmy ungerührt fort, während das Gesicht des Generals rot anlief, »bin ich der festen Überzeugung, daß das Versagen der Kernwaffen nicht auf einen Sabotageakt zurückzuführen ist, wie wir ihn verstehen. Es ist ein Resultat unseres lange unterdrückten Gewissens, das endlich ins Spiel kommt. Es handelt sich um eine Aktion des kollektiven Unterbewußtseins. Des Gruppenverstandes. Des Psychus, wie Fril es nennt. Der hat sich eingeschaltet und telekinetisch alle Waffen stillgelegt, die zur Vernichtung der Welt führen könnten. Das mußte er tun, um seinen Zielen dienlich zu sein, denn sonst hätten die gelagerten Kernwaffen in der Zeit des Gewichtsverlustes leicht zu einem globalen Holocaust benutzt werden können. Der Psychus ist die Summe unserer schlafenden Willenskräfte, multipliziert mit unseren unterbewußten Motivationen. So verstehe ich es zumindest. Jeder hat insgeheim Angst vor einem Atomkrieg, daher hat die Furcht aller die Atomwaffen gesperrt. Und das ist auch verdammt gut so«, fuhr Emmy fort, die sich für ihre Ausführungen zu erwärmen begann und überdies erkannt hatte, daß sie ohnehin bereits einen schlechten Eindruck auf den General gemacht hatte und es daher auch keine Rolle mehr spielte. »Denn sonst hätten Gemeingefährliche wie Sie eh schon auf die falschen Knöpfe gedrückt, als sie die Macht dazu bekamen. Und was die Kriegführung mittels Schwerkraftaufhebung anbelangt – das ist vollkommen falsch. Sie können *fühlen,* daß es falsch ist, und unsere Gefühle sind unsere Verbindung mit dem Psychus. Das kollektive Unterbewußtsein brachte den Gewichtsverlust und die Fähigkeit zur Schwerkraftaufhebung über uns, damit wir uns nicht selbst ausrotten und eine Chance auf evolutionäre Weiterentwicklung bekommen konnten. Nichts Geringeres. Das ist *offensichtlich*! Wir könnten die Russen zurückschlagen, ohne sie überhaupt angreifen zu müssen. Oder wir könnten konventionelle Waffen einsetzen, um sie zurückzuschlagen. Aber nicht den Psychus – er ist nicht zum Töten geschaffen. Eine solche Tat würde auf uns selbst zurückfallen. *Spüren* Sie das denn nicht?«
Sie verstummte und sah am Tisch entlang. Mehr als ein Dutzend Augenpaare sahen sie verblüfft an. Nur Fril sah weg. Er schien besorgt.
»Haben Sie sonst noch etwas zu sagen, meine Dame?« fragte Pagolini mit einem Lächeln, seine Stimme klang geheuchelt freundlich. »Oder sind Sie fertig?«

Die Stille im Raum knisterte.
Zu Emmys Überraschung war Fril derjenige, der sie brach. Er sprach zunächst leise, doch dann wurde seine Stimme lauter, während er seinem Ärger freien Lauf ließ. »Verdammt, ich glaube, da ist was dran. Ich habe selbst schon an so etwas gedacht. Ich...«
»Seien Sie still, Fril«, sagte der General scharf und erhob sich.
Fril schluckte und verstummte, er senkte den Blick.
»Und nun sehen Sie, meine Herren, weshalb ich immer wieder auf die Notwendigkeit strengster Sicherheitsbestimmungen in der Kaserne hingewiesen habe. *Sie* werden immer unter uns sein und jede Gelegenheit nützen, unsere Moral zu untergraben...« Er rief den Wachsoldaten, der an der Tür stand. Der Mann kam näher, wobei er die Mahlzeiten auf den Tischen betrachtete.
»Sir?«
»Nehmen Sie die beiden fest«, sagte Pagolini fast beiläufig und deutete auf Fril und Emmy. »Verschwörung mit dem Ziel des Hochverrats.«

5

Ihre Augen gewöhnten sich nur langsam an die Dunkelheit in der Zelle.
Es war beinahe Mitternacht, als sie beschlossen, den Versuch zu wagen.
Fril und Emmy waren aufgrund der Raumknappheit in derselben Zelle untergebracht worden, einer abschließbaren Lagerbaracke aus Blech, die augenblicklich als Gefängnis diente. Sie waren mit Handschellen an Leitungsrohren in der Wand gefesselt, damit sie ihre Auf-Felder nicht einsetzen konnten. Sie waren Seite an Seite gegenüber einer schweren Stahltür festgebunden. Fenster gab es keine. Auch keine Toiletten. Man hatte sie unter scharfer Bewachung zu einem Schuppen gebracht, der als Bedürfnisanstalt fungierte. Dort hatte man ihnen gesagt, sie sollten ihre Notdurft verrichten, so gut es ging, da sie vor dem Morgen keine Gelegenheit mehr dazu haben würden.
Draußen vor der Tür konnten sie gedämpfte Schritte zweier Personen vernehmen und die Unterhaltung der Wachsoldaten.
Pagolini hatte zwei Wachen abkommandiert, eine weitere Maßnahme, um zu verhindern, daß die Gefangenen ihre Auf-Felder zur Flucht einsetzten.

Sie lagen Seite an Seite auf dem Boden, mit dem Rücken an die Wand gestützt, eine elend unbequeme Stellung, zumal die Handschellen ihnen die Arme in einer unnatürlichen Weise auf den Rücken bogen. Das Blech des Gebäudes, das kaum mehr war als ein Schuppen, war kalt und schien ihren Körpern die Wärme zu entziehen. Emmy hatte sich nicht gewehrt, als Fril seine Hände über ihre gelegt hatte, nun lag seine Handfläche warm an ihrer Taille. Fril sagte:
»... ich bin überhaupt nicht sicher. Aber entweder das, oder wir versuchen einfach, schneller als sie zu fliegen. Und dann werden eine Menge Leute bereit sein, ihnen zu helfen, uns wieder einzufangen. Oder uns zu erschießen. Du darfst nicht vergessen, daß sie automatische Waffen haben. Ich frage mich, ob sie die Rüstungsfabriken wieder in Betrieb genommen haben. Sonst wird ihnen bald die Munition ausgehen.«
»Oh, wenn die nicht schon wieder produzieren, dann werden sie sehr bald damit beginnen, darauf kannst du dich verlassen«, sagte Emmy achselzuckend. »Aber der Hauptgrund gegen einen Ausbruchversuch am Morgen, wenn sie uns zum Pinkeln führen, äh, ist das Tageslicht. Unsere einzige Hoffnung ist die Nacht.« Sie hustete. »Mir ist so kalt... weißt du, wenn du die Ruhe bewahrst, dann kannst du immer noch aus dieser Sache herauskommen, schließlich hast du mir ja nur im falschen Augenblick zugestimmt.«
»Für Pagolini reicht das. Du kennst ihn nicht. Er ist der Meinung, daß man sich im Krieg nicht mit möglichen Spionen abgibt. Wenn er auch nur den Hauch des Verrats wittert... Peng! Er sieht dich an, beruft ein einstündiges Schnellgericht ein und läßt dich erschießen. An der Front verzichtet er auf eine Verhandlung und erschießt gleich. Er glaubt an das Kriegsrecht, und das läßt alles zu, solange es den Jungs an der Spitze der Pyramide recht ist.«
Sie wandte sich um und untersuchte die Handschellen und ihre Verankerung. »Schlampig festgezurrt. Du warst doch Ausbilder, wie man das Auf als eine Waffe einsetzen kann. Wie sollen wir es anstellen...?«
»Ich habe bisher noch nie etwas so Massives verbogen, geschweige denn *zerbrochen*. Wir haben uns lediglich damit beschäftigt, wie man Leute entwaffnet und sperrige Objekte bewegt. Es bestehen große theoretische Unstimmigkeiten, was man dem Auf-Feld alles zumuten kann. Ich persönlich bin allerdings der Meinung, daß eine einzelne Person gut und gerne Berggipfel versetzen kann, wenn nicht gar ganze Berge. Das allerdings ist eine Frage der persönlichen Fingerfer-

tigkeit und des Selbstvertrauens. Und der persönlichen Vitalität. Soweit ich das überschauen kann, wird das Feld nicht durch die ›Kraft‹ einer Person begrenzt, sondern nur vom Selbstbewußtsein und der Gesundheit. Denn die aufgewendete Energie stammt ja nicht vom Körper selbst, sie wird direkt vom elektromagnetischen Feld der Erde angezapft. Wahrscheinlich teilweise auch noch von der Schwerkraft – den theoretischen Gravitationswellen. Wenn man sich nach längerem Einsatz des Feldes erschöpft fühlt, so liegt das nicht daran, daß man wirklich die eigene physische Energie aufgewendet hat, sondern weil die Konzentration Kraft erfordert und man sich eben sehr konzentrieren muß, wenn man das Feld einsetzt.«
»Ich bin nicht ganz sicher, ob ich das richtig verstehe.«
»Man könnte es mit dem Autofahren vergleichen. Nicht die physische Kraft des Fahrers bewegt das Auto, sondern der Motor mittels Alkoholbrennstoff, und doch erschöpft das Fahren nach einer Weile, weil man sich eben konzentrieren muß, um richtig zu fahren. Man muß lenken, bremsen und aufrecht sitzen.«
»Jetzt hab' ich dich.«
»Wenn du mich willst.«
Sie hustete, um ihre Verlegenheit zu verbergen. Sie dachte an Richard Dreyer. Doch sie erwiderte Frils Händedruck, mit dem er ihre Hand liebkoste.
»Ich würde vorschlagen«, sagte Fril leise, »daß wir die Handschellen so leise wie möglich durchbrechen und dann die Arme hinter dem Rücken verschränkt lassen, damit die Wachen denken, alles wäre in Ordnung, wenn sie doch aufmerksam werden und nachsehen kommen. Und dann, wenn genügend Zeit verstrichen ist, machen wir uns an die Tür oder vielleicht die Decke...«
»Die Decke! Die Decke ist nicht so stabil.«
»Gut. Aber alles zu seiner Zeit. Zuerst die Handschellen.«
»Wir sollten unsere Felder kombinieren und die Handschellen gemeinsam eine nach der anderen zerbrechen...«
Fril lächelte. »Ausgezeichnet. Aber normalerweise lassen wir das im Stützpunkt nicht zu. Es hat eine seltsame Wirkung auf die Männer. Wenn sie nicht in genügender Entfernung voneinander sind, werden sie außerordentlich erregt. Eine Art euphorischer Effekt. Man kann sie nur dahingehend ausbilden, daß sie ihre Felder eng nebeneinander einsetzen, wenn sie etwas Schweres bewegen, ohne daß diese sich überlappen, dann kommt das nicht vor. Fast eine sexuelle Sache...«
»Wir brechen die Handschellen auf und kümmern uns darum später«,

wandte Emmy hastig ein. »Dies ist nicht gerade ein romantischer Ort.«
»Gut. Okay, nehmen wir erst die Klammer um deine rechte Hand...«
Sie betrachteten beide die Verankerung. »Zieh zuerst ein wenig daran, aber nicht zu sehr. Du mußt warten, bis du ein Gefühl dafür bekommst. So...« Sie konzentrierten sich beide auf die in der Dunkelheit kaum sichtbaren Klammern.
Emmy spürte, wie die unsichtbaren Finger ihres Auf-Feldes sich mit denen Frils überlappten. Die Berührung knisterte, sie konnte blaue Fünkchen tanzen sehen. Sie schloß die Augen und sah vor ihrem geistigen Auge, wie die beiden Felder sich Seite an Seite zu unsichtbaren Händen formten. Sie waren fast ektoplasmatisch zum Greifen geformt und zogen und zerrten an den Metallbändern. Die beiden Hände wurden zu einer, ihre Kraft vervielfachte sich... und *schnapp*. Sie öffnete die Augen. Das Metallband um die Rohrleitungen hatte sich gelöst.
Sie spürte Feuchtigkeit zwischen den Beinen. Es war kein Schweiß.
Sie stieß die Luft aus. »Es... fühlte sich seltsam an...«, sagte sie heiser.
»Ja.« Er atmete tief ein. Seine Augen waren in der Dunkelheit so groß wie die eines Kindes. »Die nächste Klammer.«
Sie wiederholten es.
Diesmal war es schwerer, die Effekte der verschmelzenden Auf-Felder zu kontrollieren.
Beim drittenmal keuchte sie.
Nach dem viertenmal, bei der letzten Klammer – die mit einem lauten Knirschen entzweibrach –, machten sie sich hastig daran, ihre Handschellen zu öffnen. Dann vergaßen sie die Wachen und die Kälte und warfen ihre Handschellen beiseite, die laut auf dem Boden schepperten. Schließlich zogen sie sich aus. Eine Art innerer elektrischer Spannung war über sie gekommen, die sie gefesselt hielt, ihre Entscheidungen wurden ausschließlich von Instinkten geleitet. Sie schwebten in dem engen Raum in die Höhe und liebten sich auf einem knisternden schwerelosen Bett. Seine Bewegungen waren unsicher, fast konvulsivisch, aber hinreichend kontrolliert. Seine Lippen fanden wiederholt den Weg zu ihren Brüsten, und sie verwendete ihr Auf-Feld dazu, ihre Brüste an seinem Gesicht auf und ab streichen zu lassen, als wären es verspielte Hündchen. Er kicherte leise und dehnte einen Teil seines Auf-Feldes um sein steifes Glied in ihrer Vagina aus,

um das Ausmaß der Dehnung festzustellen, das noch angenehm für sie war, was sie veranlaßte, sich lustvoll unter ihm zu räkeln.
Es dauerte nur zehn Minuten, aber beide kamen zum Höhepunkt – Höhepunkte sind sehr wahrscheinlich, wenn zwei Auf-Felder so miteinander harmonieren.
Hinterher spürten sie kein Bedauern, auch keine Verlegenheit, sondern nur Erstaunen.
Sie kleideten sich hastig wieder an, da ihnen kalt wurde.
»Puh«, sagte er laut.
»Damit dürfte alles gesagt sein«, stimmte Emmy zu.
»Zum Glück haben sie uns nicht gehört.«
»Vielleicht doch. Vielleicht glauben sie, wir treiben es irgendwie, immer noch an die Wand gefesselt. Vielleicht sind es Voyeure.«
Er kicherte etwas verlegen, dann ging er zur Tür und preßte das Ohr gegen das kalte Metall. Er nickte und kam zurück. »Sind immer noch da. Hört sich an, als unterhielten sie sich über Lebensmittellieferungen.«
»Bringen wir's hinter uns. Das Warten ist nervenaufreibend.«
»Einverstanden. Glücklicherweise spüre ich mein Alter schon ein wenig, daher ist es ziemlich unwahrscheinlich, daß ich bei einer erneuten Verschmelzung unserer Felder, wenn wir das Dach aufbrechen, wieder einen ...«
»Schon gut. Los jetzt!«
Sie standen dicht beieinander, jeder hatte eine Hand auf des anderen Schulter gelegt, und sahen zu der etwa einen Meter entfernten Decke hoch.
Sie erschauerten, als ihre Felder sich trafen, beherrschten sich aber eisern.
Die Decke gab ein lautes, knirschendes Geräusch von sich.
»Ich glaube, du hattest doch recht. Jetzt habe ich auch etwas gehört!«
Laute Stiefelschritte, gedämpftes Klingen von Gewehrläufen und Schlüsseln, die vor der Tür klimperten. »Ich kann das Schloß nicht sehen. Gib mir die verdammte Taschenlampe... So, jetzt halt still ...!«
Die Decke beugte sich nach außen, als würde sie ihren Rücken strekken. Sie bot gehörigen Widerstand. Emmy fürchtete, sie könnten sich doch für den falschen Weg entschieden haben. Sie spürte den Widerstand jeder einzelnen Schraube, die das Dach verankerte. Zudem war es ein fast neues Dach, ohne Rostspuren.
»*Los*«, zischte Emmy, »zeigen wir's dem Bastard!«

Sie stießen mit vereinten Bemühungen zu. Das Metall kreischte und beulte sich weiter nach außen. Ein Riß wurde sichtbar, sie konnten die Sterne funkeln sehen. Der Riß wurde breiter und breiter...
Die Tür wurde aufgestoßen.
Der Riß in der Decke bot nur einer Person eine Durchgangsmöglichkeit.
Fril sprang zur Tür, deutete auf die Gewehre der Wachen und stieß dem einen Mann den Lauf zwischen die Zähne. Er grunzte, da er durch das Empathie-Feld die Schmerzen des Mannes am eigenen Leib verspürte.
Fril, der zu nahe an der Tür stand, konnte nicht durch den Spalt im Dach entkommen, aber einer mußte es tun, sonst würde keiner entkommen, daher ging Emmy. Sie stieg wie ein Pfeil durch den Spalt auf und schoß in den Nachthimmel hinein. Etwas riß an ihrem Schenkel, Blut lief aus einer Wunde, die vorstehendes Metall gerissen hatte. Drei Meter über dem Dach verharrte sie und blickte hinab. Das Licht einer Taschenlampe tanzte auf dem wundenähnlichen Riß im Dach. Sie konnte Fril einen Augenblick sehen, der mit der Faust nach jemand schlug. Es erfolgte ein leises, hustendes Geräusch, das sie erst Sekunden später als Gewehrschuß erkannte. Dann raste Fril durch den Riß im Dach an ihr vorbei und rief ihr etwas zu, das »... komm schon...!« heißen konnte. Männer mit Taschenlampen rannten auf den Schuppen zu und rissen ihre Waffen in die Höhe. Drei Blitze wurden kurz hintereinander an der Schulter eines Mannes sichtbar, gefolgt von den Lauten dreier Schüsse. Sie hatten sie unter Beschuß genommen. Fril schrie wie ein kleiner Junge und stürzte nach unten. Emmy spürte sein entweichendes Feld, während er wild kreisend fiel, und durchlebte empathisch seine Schmerzen, als ihm Kugeln durch Brust und Hals drangen... Und dann flog sie weg, steil in die Höhe und nach Südosten, ohne noch einmal den Kopf zu wenden, damit sie nicht mit ansehen mußte, wie Frils Körper auf dem Boden aufprallte. Der Wind trocknete die Tränen auf ihrem Gesicht.

6

Sie war genau an der Stelle, die sie ihm genannt hatten. Dreyer kam zu der Überzeugung, daß es dumm gewesen war, auch nur einen Augenblick daran zu zweifeln. Sie waren erschreckend leistungsfähig. Wenn es je zu einem Entscheidungskampf zwischen seinem Volk und

dem der Quelle von Allem kommen sollte, würde er sein ganzes Geld auf letzteres setzen.
Sie saß auf der Spitze eines Wasserturmes am Rande einer Geisterstadt.
Sie hatte ihm den Rücken zugewandt und blickte über die verödeten Felder. Jahrelang waren sie durch Bewässerung am Leben gehalten worden. Nun war die Bewässerung ausgeblieben, und das Tal wurde wieder zu der Wüste, die es früher gewesen war.
In der Dämmerung erinnerte sie an eine Statue. Sie hatte den Kopf auf die Arme gestützt und diese wiederum um die Knie geschlungen. Ihre Gestalt war in Grau vor bläulich aussehenden, verbrannten Feldern gemalt. Ihre Schultern waren verzweifelt gesenkt, sie strahlte Niedergeschlagenheit aus. Es konnte sich aber auch einfach nur um Erschöpfung handeln.
Die Sonne ging zur Linken auf, und ihre ersten Strahlen fielen über die einsamen Hügel, doch darüber war der Himmel immer noch blauschwarz, die dominierenden Braun- und Gelbtöne am Boden konnten noch nicht die Oberhand über die blaugraue Dämmerung gewinnen. Der Himmel war klar, die Luft kühl und windstill.
Er schwebte einen Augenblick über dem Wasserturm und sah sie an. Wo war ihr Rucksack? Hatte sie sich ohne Proviant auf die Suche nach ihm gemacht? Er ließ sich lautlos auf das sanft geneigte Dach nieder und rief leise: »Emmy?«
Sie wandte sich um, und er fühlte sich von der Traurigkeit in ihrem Blick betroffen. Ihre Augen waren blutunterlaufen, ihr Gesicht zerfurchter als gewöhnlich, ihr Haar in Unordnung. Zunächst schien sie nicht überrascht, ihn zu sehen. Sie schien nur halb bei Bewußtsein zu sein. Dann riß sie die Augen auf und sprang in die Höhe... und stürzte rückwärts vom Wasserturm. Dreyer sprang auf, um ihr nachzufliegen, doch sie schwebte bereits wieder über den Rand des Daches empor und lächelte etwas verlegen. Sie landete an seiner Seite, und sie umarmten sich. Ihr Körper war angenehm warm in der kühlen Morgenluft.
»Wie hast du mich gefunden?« fragte sie mit krächzender Stimme.
Doch gleichzeitig fragte er: »Was ist mit dir geschehen? He, dein Bein ist verletzt! Wie ist das passiert?«
»Warum hast du das Lager verlassen?«
»Wo ist dein Rucksack?«
Sie legte einen Finger auf die Lippen, worauf sie beide verstummten.
»Ich habe einige Streichhölzer in der Tasche, mehr habe ich nicht

mehr. Machen wir irgendwo ein Feuer, dann können wir uns unterhalten.«
»Okay. Die Kolonie hat mir ein wenig Dörrfleisch mitgegeben, das können wir essen.«
»Die Kolonie?«
»Noch nicht. Zuerst das Feuer! Auf dem Hügel dort oben liegt trockenes Holz. Außerdem ist es dort sonnig.«
»Okay.« Sie trat von ihm weg, dann schwebten sie gemeinsam zu dem Hügel hinüber.
Eine Stunde später saß Emmy eng in Dreyers Arm gekuschelt. Sie hatten gegessen und sich dann ihre Erlebnisse berichtet. Sie hatte nichts ausgelassen. Dreyers Eifersucht verflog rasch, als sie ihm von Frils Tod berichtete.
Sie lauschte Dreyers Schilderung der Kolonie der Quelle von Allem mit großer Faszination. »Ich frage mich, wie viele solcher Kolonien noch existieren.«
»Nicht viele. Ich hatte den Eindruck, als handelte es sich um ein Experiment der Natur, eine Alternative zu uns aufzustellen. Sie sind außerordentlich leistungsfähig, und sie scheinen glücklich zu sein. Wenn es zu einem Vergleichskampf kommt...«
Emmy nickte. »Als ich in der Offiziersmesse war«, sagte sie, »unterhielten sie sich darüber, eine Gruppe von Sträflingen zu rekrutieren. Anscheinend hat die Schwerkraftaufhebung, wie *sie* es nennen, alle Gefangenen befreit. Oder wenigstens einige. Wahrscheinlich sind viele auch in ihren Zellen verhungert, als die Wirtschaft zusammenbrach und die Wachen sich nicht mehr um sie kümmerten. Jedenfalls sind diese Sträflinge, zusammen mit den Hell's Angels, bei einer großen Feier in San Diego.«
»Hört sich an wie die Barbarenhorden.«
»Ja. Müssen Tausende sein. Jedenfalls sprach man von einem einfachen Rekrutieren mit ständigen Ausbildungsschwierigkeiten... ich glaube, ich habe das erwähnt, weil ich die Armee für gefährlich halte. Sie haben nicht genügend Männer, sie heuern jeden an – und damit werden sie selbst zu einem Haufen von Kriminellen.«
»Und mit der Führung steht es wahrscheinlich noch am schlimmsten. Dieser Pagolini beispielsweise. Ruchlose Hurensöhne. Ist Pagolini der Boß?«
»Nein. In San Diego existiert ein Generalstab von Exekutivoffizieren, der sich aus den Top-Generälen und -Admirälen zusammensetzt.«
Dreyer nickte, sagte aber nichts.

»Was sollen wir deiner Meinung nach tun?« fragte sie.
»Keine Ahnung. Was meinst *du* denn? Ist doch sonst nicht deine Art, mir alle Entscheidungen zu überlassen.« Er fühlte sich von ihrer Art überfordert, alle Last auf seine Schultern zu legen.
»Ich kann nicht denken. Ich bin erschöpft. Ich fühle mich vollkommen leer. Ich hatte Freundschaft mit diesem Mann geschlossen, und sie schossen ihn einfach vom Himmel herunter. Es gibt keinen Grund, warum er erschossen wurde, keine Entschuldigung. Ich betrachtete den Gewichtsverlust immer als eine Art Läuterung.« Sie schniefte. »Ich bekomme eine Erkältung. Ich frage mich, ob das Auf von Krankheiten beeinflußt wird.«
»Gewiß, weil sie deine Konzentrationsfähigkeit beeinflussen. Flieg vorsichtig.« Er blinzelte Tränen weg, die vom Rauch verursacht worden waren, den ihm ein plötzlicher Windstoß ins Gesicht geweht hatte. Das Feuer war ziemlich heruntergebrannt. Sie saßen mit den Rücken zu einem Findling und nahmen die Wärme in sich auf. Die Sonne wärmte sie ebenfalls, doch sie stand im Begriff, hinter dem Felsen zu verschwinden. Schatten engte sie mehr und mehr ein.
»Es war eine Art Läuterung«, fuhr Emmy fort. »Eine natürliche Läuterung. Ein Akt Gottes, der alles Korrupte von der Zivilisation wegbrannte und hinterher nur gereinigte Wesen mit vollständigem Wissen hinterließ, damit wir Gelegenheit für einen Neubeginn haben sollten. Aber diese gottverdammten uniformierten Narren ziehen alles wieder in den Dreck.«
»Ich weiß nicht«, sagte Dreyer und bemühte sich, optimistischer zu klingen, als ihm zumute war. »Ich glaube, der OA wird bald Treibstoff, Munition und Essen ausgehen. Der Zusammenhalt wird verlorengehen, und das ganze Ding wird auseinanderfallen. Wie wollen sie es denn aufrechterhalten, wo das Auf jeden ständig daran erinnert, was Freiheit bedeutet?«
»Mit den Russen. Du solltest mal die Propagandaschau erleben, die Pagolini abzieht. Er schüchtert jeden so ein, daß er bereit ist zur Zusammenarbeit mit der Armee. Und daran mag ein Körnchen Wahrheit sein. Ich traue den Russen ebensowenig wie der amerikanischen Armee. Sie könnten diese Gelegenheit wirklich nützen, um die USA zu unterjochen.«
»Sie sind schon jahrelang viel besser für den Krieg gerüstet als wir.« Sie schwiegen einige Minuten, fühlten die Sonne steigen, hörten das Knacken der Kohlen, sahen den Rauch, der so dick wie Wasser aussah, und inhalierten den Geruch des brennenden Pinienholzes. »Es ist sehr

friedlich hier«, bemerkte Dreyer. »Wir waren so sehr mit dem bloßen Überleben beschäftigt, daß wir gar keine Zeit zum Nachdenken hatten. Warum hat der Gewichtsverlust eigentlich stattgefunden? Wir haben unsere Theorien. Aber wir alle können fühlen – wenn wir aufhören zu denken und unseren Gefühlen vertrauen –, daß ein tieferer Sinn dahinterliegt. Vielleicht ein größeres Bewußtsein, vielleicht ein göttliches, das die Dinge nach einem bestimmten Schema verändert. Das ist eine Vorstellung, die plausibel ist, die man sich innerlich überlegen kann... Vielleicht sollten wir uns von allem lösen. Wir sollten vom Pulverfaß verschwinden, ehe es hochgeht. Je mehr Widerstand die Armee von außen bekommt, desto größer wird ihre Solidarität in den eigenen Reihen werden.«

»Die Tao-Methode? Ich weiß nicht. Ich glaube nicht, Dick.«

»Emmy... Was für eine *echte* Alternative haben wir denn schon? Eine praktische und hoffnungsvolle. Wie können wir diese Armee bekämpfen?«

»Indem wir unseren Widerstand organisieren. Indem wir alternative Methoden anwenden, um die Russen zurückzuschlagen, und so zeigen, daß wir keine Armee brauchen. Ich glaube, wir könnten mit dem Auf einen Invasor zurückschlagen, ohne ihm wehzutun, und das würde den Krieg überflüssig machen. Oder wir setzen zuerst die Armee außer Gefecht. Wir könnten subversive Tätigkeiten beginnen, vielleicht eine Kommune gründen, eine Lebensmittelkooperative. Denk doch mal nach: Der Hauptgrund dafür, daß die Leute derzeit zum Militär gehen, ist das Essen und der Schutz vor dem Unbekannten, das durch den Gewichtsverlust akut wurde. Dabei klammern sie sich an ein altes Symbol für Sicherheit. Wenn wir eine Alternative anbieten können, lassen sie vielleicht dafür die Armee im Stich.«

»Um ehrlich zu sein, ich halte das für zuviel, wir sind nur zwei...«

»Und eine Menge Leute in der Siedlung... Wenn ich darüber nachdenke, vielleicht würden nur einige helfen, drei... trotzdem...«

»Ich glaube nicht, daß ich... Oh, Herrgott, ich weiß es nicht. Ich glaube, wir sollten in die Berge gehen. Nur wir zwei. Eine Familie gründen. In aller Abgeschiedenheit leben.«

Sie dachten eine Weile still darüber nach.

»Dick... was ist mit dieser Kolonie?« fragte sie schließlich. »Sie haben dir geholfen, mich zu finden. Sie scheinen über beachtliche Fähigkeiten zu verfügen. Vielleicht könnte man sie davon überzeugen, daß die Armee unser gemeinsamer Feind ist. Ich weiß nicht, was sie im einzelnen tun könnten, aber...«

»Vielleicht.« Er zuckte die Achseln. »Sie sind entsetzlich weit entfernt von den Angelegenheiten der... äh... der individuell konstituierten Massen. Es würde schwerfallen, sie zu überzeugen.«
Emmy sah ihn schuldbewußt an, dann blickte sie hastig ins Feuer. Etwas hatte sie ihm verborgen, eine weitere Verkomplizierung, die ihre grauen Gedanken am Morgen erhellt hatte. Etwas, das sie in den Morgenstunden erkannt hatte, als ihr einige biologische Symptome in ihr aufgefallen waren.
Sie war schwanger.
Aber wenn sie das Dreyer erzählte, würde er auf seinem Plan bestehen, in den Bergen eine Familie zu gründen. Und im Augenblick konnte sie sich nicht mit einem Rückzug abfinden. Ihre Intuition, ihre Verbindung zur Welt durch das Auf-Feld, hatte eine schlummernde moralische Zielstrebigkeit in ihr geweckt.
Die Armee mußte einfach aufgehalten werden. Schließlich murmelte sie: »Warum sollte uns der Neubeginn so einfach in den Schoß fallen?«
»Was?« Dreyer betrachtete sie unentschlossen.
»Nichts... Aber, Richard, ich glaube nicht, daß wir uns nun so einfach in die Berge zurückziehen können. Wer sonst soll denn so etwas organisieren, wenn nicht wir? Wer sonst soll sie aufhalten? Und früher oder später werden sie auch uns mit ihrer Diktatur unterjochen. Ganz egal, wer gewinnt, der amerikanische oder der europäische Psychus.«
»Herrgott. Alles ist möglich. Die Japaner können alle über den Ozean geschwärmt kommen und Kamikazeangriffe auf die Offiziersmesse fliegen...« Er lachte bitter.
»Morbider Humor, Richard. Ich glaube, wir sollten uns bemühen, konstruktiver zu denken.«
»Da bin ich nicht so sicher. Ich fühle mich immer mehr zum anarchistischen Standpunkt hingezogen. Die beste Regierung ist überhaupt keine Regierung. Der Widerstand, von dem du sprichst, müßte organisiert sein, und das bedeutet, er müßte sich selbst zu einer Regierung entwickeln, wenn er erfolgreich sein möchte. Das könnte noch schlimmere Folgen haben als die Bedrohung durch die Armee.«
»Das ist eine Möglichkeit, mit der wir leben müssen. Das kleinere Übel. Es könnte sich bewerkstelligen lassen, denn es wurde schon einmal...«
Richard schüttelte lachend den Kopf.
»Verdammt, Richard!« sagte Emmy errötend. »Was hast du denn

Besseres anzubieten? Nichts anderes als einen Rückzug in die Berge, um den Problemen den Rücken zu kehren?«
Er zuckte mit den Achseln, zeichnete mit einem Stöckchen Muster in den Sand und runzelte die Stirn.
»Das hört sich an«, sagte er leise, »als hättest du deine Entscheidung bereits getroffen. Ich weiß nicht, weshalb du mich überhaupt noch fragst, was *ich* gerne möchte.«
»Weil...« Sie dachte: Weil ich von dir schwanger bin, und ich möchte unser gemeinsames Kind auch gerne gemeinsam erziehen. Und wenn wir gemeinsam leben wollen, müssen wir auch unsere Entscheidungen gemeinsam fällen. Doch laut sagte sie nur: »Weil ich dich liebe und weil ich alles Wichtige mit dir an meiner Seite tun möchte. Wir müssen beide zu gleichen Teilen an allem arbeiten. Ich...«
»He...« Er verschloß ihre Lippen mit einem Kuß. »He, wollen wir...«
»Nein, ich bin zu müde. Kein Schlaf letzte Nacht. Und...« Die Erinnerung an Frils Tod war noch zu lebendig.
»Okay.« Er schien nur ein wenig enttäuscht. Er küßte ihre Wange. »Suchen wir etwas Wasser.«
»Klar. Aber zuerst, Richard, mußt du – müssen wir uns entscheiden, was wir tun sollen. Ich meine, wir sollten jetzt zu einem Ergebnis kommen. Sonst kommen wir im Trubel der Ereignisse nicht mehr dazu und haben keine Wahl mehr. Entscheiden wir uns jetzt, denn jetzt ist noch alles ruhig, und wir haben Zeit zum Nachdenken.«
»Jetzt *direkt?*«
»Ich meine schon.«
»In diesem Augenblick.«
»Hm-hmm.«
Er schluckte, stand auf und klopfte den Staub von seiner Hose.
Er blickte über das trockene, rostrote Tal dahin.
»Ich soll mich entscheiden, ob wir uns still und leise zurückziehen oder ob wir beide nach San Diego gehen und versuchen, eine große Streitkraft bewaffneter Männer davon abzuhalten, Vernichtung und Faschismus zu verbreiten, wobei wir uns zum Narren machen?«
Sie lachte. »Ich glaube, damit hast du es ziemlich treffend zum Ausdruck gebracht.«
»Und ich soll mich jetzt gleich entscheiden?«
»Ja.«
Er sah seufzend über das Tal.
»Ich habe mich entschieden«, sagte er.

Fünftes Buch

Unten: Enklaven des Wahnsinns, plündernder Mob

1

Dreyer betrachtete den Mob unten mit zunehmendem Unbehagen. Von oben schienen die Köpfe der vielen tausend so trügerisch wie Treibsand. Hin und wieder schoß jemand über die Masse hinaus und schwebte spielerisch oder rachsüchtig hinter einem anderen her. Ganze Wolken von Potrauch trübten den Blick.
»Ist das Beverly Hills?« fragte er sie ungläubig.
Emmy, die in der duftgeschwängerten Luft neben ihm schwebte, nickte.
Er wandte den Blick von der höllischen Szene ab und blinzelte durch den Nebel zum Horizont. In einer Vertiefung zwischen zwei Bergen sah er etwas Blauschimmerndes, das nur das Meer sein konnte. »Ich frage mich, ob es über dem Meer möglich ist, das Auf-Feld anzuwenden«, sagte er.
»Eines Tages werden wir es ausprobieren«, murmelte Emmy. »Schau mal, da...« Sie deutete auf eine Straße hinab, die mit den rostenden Karosserien verlassener Autos übersät war. Sechs Dampfradfahrer schwebten über der Straße – Harley Hawg Alcky Breathers, wie Dreyer anhand der Motorräder urteilte –; sie kamen vom Meer und warfen insektengleiche Schatten auf den Asphalt. Sie schwebten auf Auf-Feldern über dem Land.
»Warum tragen sie nur diese riesigen Motorräder mit sich herum?« fragte Emmy. Wie alle Stimmen in der klaren Luft großer Höhen klang ihre Stimme seltsam voll, obwohl nichts da war, um sie zu reflektieren. »Warum fliegen sie mit ihnen? Sie sehen so unhandlich aus, und ohne könnten sie doch bestimmt viel leichter fliegen.«
»Wahrscheinlich *esprit de corps*«, meinte Dreyer. »Dazu kommt das Gefühl, ein Motorrad unter sich zu haben. Macho-Gefühle. Als junger Mann war das auch mein Hobby... Aber ich vermute darüber hinaus noch, daß sie...«
»Woher bekommen sie denn den Alkohol für den Antrieb? Vielleicht haben sie Propanlager entdeckt... nein, wahrscheinlich nehmen sie ihn aus verlassenen Autos...« Die Motorradfahrer hatten fliegend einen Erdrutsch überwunden, nun sanken sie einer nach dem anderen

wieder auf die asphaltierte Straße und donnerten mit heulenden Motoren nach Osten.
»Auf-Schweben und mit einem Motorrad über Land zu fahren ist nicht dasselbe. Auf-Schweben ist manchmal schneller und einfacher, aber nicht so... herrlich ungestüm.«
Emmy zuckte die Achseln. Sie deutete lachend nach unten. »Schau mal, dort *drüben.*«
Ein glänzender Rolls-Royce (Alkohol/Dampf) mit klaren Hartgummireifen und gleißend silbernen Mustern schwebte drei Meter unter ihnen und etwa fünfzehn Meter entfernt auf sie zu. Dreyer ließ sich die drei Meter hinabsinken, um das Fahrzeug näher in Augenschein zu nehmen. Vier Männer saßen in dem alten Sedan. Alle vier waren alt, trugen zerknitterte Anzüge, die vielleicht noch neu gewesen waren, als sie sie vor einigen Tagen aus einem leerstehenden Warenhaus gestohlen hatten. Es waren alte Männer mit aufgequollenen Gesichtern, geplatzte Äderchen malten Rokokomuster auf ihre Nasen, doch ihre Augen blickten glücklich. Einer von ihnen grinste ihm zahnlos zu. Tramps, die auf Zeit von Bettelmännern zu Prinzen geworden waren. Bis euch das Essen ausgeht, dachte Dreyer. Oder die Armee euch abknallt.
Einer der Tramps hielt Dreyer aus dem offenen Fenster eine Flasche hin. Dreyer schüttelte lächelnd den Kopf. Der Tramp winkte. Dreyer winkte zurück.
Der Rolls flog weiter nach Süden.
Emmy schwebte neben Dreyer hinunter. »Wenn sie sich betrinken«, sagte Dreyer, »werden sie ihre Auf-Felder nicht mehr unter Kontrolle haben und mit dem Wagen abstürzen. Aber es gibt unangenehmere Todesarten.«
Während sie in einem sanften Bogen wieder aufstiegen, beobachteten Emmy und Dreyer die Menge auf den Hügeln. Hier und da ragten Ruinen aus dem Meer tanzender, gehender, trinkender, kopulierender und sonnenbadender Menschen heraus (Kinder schwebten wie Bienen über einem Blumenfeld, Langhaarige unter Drogeneinfluß flogen wie wilde, bärtige Schmetterlinge darüber hinweg). Die Ruinen waren einst Wohnsitze der Reichen gewesen, nun bildeten sie die Spielplätze der heimatlosen Armen. »Gutes Leben auf Pump«, murmelte Dreyer.
Emmy schnaubte. »Oh, sei doch nicht so schulmeisterlich. Du klingst wie meine Großmutter, wenn sie die Fabel vom Grashüpfer und der Ameise erzählte.«

»Die Geschäfte werden bald ausgeplündert sein. Sie werden sich gegenseitig auffressen. Wir haben bereits Farmen hinter Stacheldraht gesehen und Männer auf Wachtürmen, um aufzupassen...«
Jemand schoß blitzschnell aus der wogenden Masse empor. Die Gestalt passierte Dreyer so nahe, daß er die Reibungswärme spüren konnte. Dreyer meinte, es habe sich um eine junge Frau gehandelt, war aber nicht ganz sicher. Ihr Feld war chaotisch gewesen. Sie stieg immer weiter zum Himmel empor und war bald verschwunden. Vielleicht würde sie vor Jubel in den obersten Atmosphäreschichten verbrennen.
Sie levitierten etwa dreißig Meter über den Köpfen der Menge am Boden. Dreyer war nervös. Wenn er die Menge betrachtete, konnte er gelegentlich Gewehrläufe blitzen sehen, gefolgt von Augen, die ihn tückisch musterten. Er erwartete, daß früher oder später jemand auf sie schießen würde.
... Bluegrass-Musik zog sie zu einem Feld mit Sandboden zwischen zwei verwitterten Fassaden. Dort tanzten mindestens vierzig Menschen. Alle schwebten einige Zentimeter über dem Boden. Ihre Auf-Felder wirbelten den Sand auf, wenn sie sich bewegten. Alle Anwesenden waren kunterbunt gekleidet. Zwei Männer mit Gewehren im Schoß saßen am Zugangsweg neben Betonwänden. Es handelte sich um einen Square Dance. Die Ecken der Quadrate waren durch die Levitation etwas abgerundet. Gingang und Bergkristalle wirbelten hypnotisch einher, Sonnenlicht schimmerte auf grinsend entblößten Zähnen.
Der Banjospieler mit dem runzligen Gesicht gestikulierte zu Emmy und Dreyer, sich einzureihen. Dieses Mal lächelte Dreyer verneinend und schüttelte den Kopf.
»Oh, Dick, komm... wir wollen tanzen...«, begann Emmy.
»Ich würde gerne. Aber schließlich war es dein Einfall, nach Süden zu gehen und die Leute zum Widerstand gegen die Armee anzustiften. Wir müssen schließlich jemanden finden, mit dem wir reden können, was bei der lauten Musik sowieso nicht möglich ist.«
Sie seufzte. »Ich glaube, du hast recht. Meine Mutter war begeistert vom Square Dance. Komm, weiter.«
Sie reisten weiter, an zahllosen Mengen und zahllosen Musikfesten vorüber. Jemand hatte Flaggenmasten aus frisch geschlagenem Holz errichtet, um einen Himmelsparcour für ein Auf-Rennen zu markieren. Junge Männer und Frauen schossen innerhalb des Parcours dahin, ein uniformer Strom, neun Meter über dem Boden, der in Kur-

ven wie Roller Skaters einknickte. Männer in Kabinen nahmen Wetten in Lebensmitteln und Utensilien an.
Dreyer und Emmy flogen weiter.

2

Außenaborte und offene Kloaken sandten üblen Gestank zu den Fliegern hoch und zogen Fliegenschwärme an.
Kinder streiften zu Fuß und fliegend umher und suchten nach verlorenen Eltern. Plünderer legten mit Pickeln und Spaten methodisch Häuser frei, die von Erdrutschen bedeckt worden waren. Einige Häuser würden immer und ewig unter Erde und Schlamm begraben bleiben, wie in Pompeji.
Zwei Männer mit zornroten Gesichtern duellierten sich mit Auf-katapultierten Felsen, kämpfenden mythischen Göttern gleich.
Möwen pickten an menschlichen Skeletten.
Ein junger Mann von einem Team, das eine verschüttete Apotheke freilegte, landete in einer Gruppe junger Leute und verteilte Pillen aus einer großen Flasche. Angetörnt von Speed schossen die Teenager in die Höhe und verschwanden im Himmel, manche schrien, wenn sich Hautfetzen wegen der Reibungshitze lösten, und jagten aufs Meer zu.
Eine Gruppe Mexikaner saß im Schatten und schaukelte zu leiser Gitarrenmusik, während die Frauen in einem großen Topf Frijoles kochten.
Zwei Jungs rasten in Auf-gesteuerten Sportflitzern aufeinander zu und schossen erst im letztmöglichen Augenblick von den Fahrersitzen, bevor die Wagen kollidierten, sich überschlugen und in die Bergflanke bohrten, wo sie Staub aufwirbelten.
Braune, nackte Schwule kopulierten in der Luft, Dutzende ihrer Freunde spielten ein kompliziertes Spiel mit Plastikflugscheiben – so viele Frisbees segelten Auf-geleitet durch die Luft, daß sie wie ein vielfarbiger Wespenschwarm wirkten.
Zwei Pachucobanden schossen zwischen Zielscheiben in der Luft umher. Die ganze Szenerie war ein Getümmel aus transparenten Plastikjacken, Chromhalsketten, Ketten, Messern, Pistolen, rudernden Gliedern, feuchten, zu Schreien geöffneten Mündern und Sonnenbrillen, die das Sonnenlicht reflektierten.
Ein bärtiger Mann mit wild bemaltem Gesicht, der lediglich einen schmutzigen weißen Overall trug, glänzte vor Schweiß, während er

mit Armbewegungen einen ganzen Hügel bearbeitete. Felsbrocken stürzten in die Tiefe, und das Ergebnis ähnelte immer mehr einer freskenbedeckten aztekischen Skulptur.
Das Dach eines intakten Hauses barst plötzlich nach außen, Schindeln flogen in die Luft, gefolgt von einer Horde ausgelassen kreischender Halbstarker, die wieder hinuntersanken und ein konzentriertes Auf-Feld wie einen Rammbock vor sich herstießen, mit dem sie eine Seitenwand zum Einsturz brachten. Es durchstieß die Wand problemlos und trat am gegenüberliegenden Ende mit einem Schuttregen wieder aus, worauf es zu einem weiteren wahllosen Akt der Zerstörung zurückschwang.
Ein hungriges Kind flog durch die Luft und jagte eine Krähe.
Ein trüber, schlickiger Swimming-pool beulte sich nach oben aus, als zwei Mädchen und ein Junge heiter hervorschossen und einander spielerisch verfolgten. Sie versprühten Tropfen hinter sich, während sie wendeten und wieder in das Wasser eintauchten. Eine Gestalt war anscheinend vom Schlick irritiert und schaffte es nicht mehr, rechtzeitig aufzusteigen, denn sie prallte gegen eine Betonmauer des Pools. Rotes Blut breitete sich wie eine Wolke im Wasser aus.
Auf einem der wenigen stillen Fleckchen war eine mexikanische Familie gerade damit beschäftigt, Erde für einen Bewässerungsgraben inmitten trockener Felder aufzuwerfen.
Zwei grausam blickende Kinder trugen einen zappelnden, ängstlich jaulenden Hund hoch in die Luft und ließen ihn fallen...
Hier griff Emmy ein und bremste den Fall des Hundes mit ihrem Feld. Kaum am Boden, hechelte der Hund davon und verbarg sich in einem halbverfallenen Stall.
Ein alter Mann flog auf dem Bauch und trat mit den Beinen aus, als würde er schwimmen. Wahrscheinlich war er betrunken. Ein Papagei flog an seiner Seite – sie krächzten sich gegenseitig an.
Emmy deutete verblüfft zu einem Kind, das vor seiner Katze herflog. Von Zeit zu Zeit sprang die Katze in die Höhe, so daß man vermuten konnte, sie baue aus eigener Kraft ein Auf-Feld. »In gewissem Sinne haben Katzen sich zu Parasiten der Menschheit entwickelt«, erklärte Dreyer. »Sie haben genetisch gelernt, uns gegen Nahrung Hingabe zu geben; sie wurden fast zu einer Erweiterung der Menschheit. Daher ist es nur natürlich, wenn einige auch die Gabe des Auf mit den Menschen teilen. Vielleicht sind Hunde und Katzen dem Menschen so eng verbunden, daß sie auch das Auf-Schweben lernen können, wenn man sie trainiert.«

Sie sahen ein Betonfeld, auf dem es von umgestürzten Wagen nur so wimmelte, dazwischen lagen Abfälle, Müll und alle Arten organischen Unrats. Alles war mit Fliegen und Ameisen überzogen. Leichen verwesten zwischen dem Müll.
Auf einer Seitenstraße fuhr ein alter Mann in einem roten, alkoholgetriebenen Lieferwagen, dessen Ladefläche voller Lebensmittel war, die er wahrscheinlich zum Handeln von seiner Farm brachte. Auf diesem Berg, hauptsächlich Zitrusfrüchte, saß ein braungebrannter junger Mann mit einem Gewehr in der Hand. Ein Schuß aus den Büschen fegte den jungen Mann vom Wagen herunter, kurz darauf rannte eine heulende Meute zu Fuß oder fliegend hinter dem Wagen her. Ein Schuß aus der Fahrerkabine streckte zwei Menschen des Mobs nieder, aber es waren wenigstens fünfundsiebzig, die sich auf den Lieferwagen stürzten. Sie ähnelten Fliegen in Menschengestalt. Binnen weniger Sekunden war die rote Farbe des Wagens vollkommen unter ihren Körpern verborgen. Das Führerhaus wurde nach innen gedrückt und zerquetschte den alten Mann. Nun kämpfte der Mob unter sich um die Früchte, Orangensaft mischte sich mit Blut, Männer katapultierten sich wie irrsinnig durch die Luft, wenn die Wut sie packte.
Doch hier und da in dem Tohuwabohu fiel Dreyer etwas Merkwürdiges auf. Diejenigen, die einzig und allein mit ihren Auf-Feldern kämpften und nicht, indem sie sich gegenseitig Gegenstände an die Köpfe warfen, kamen normalerweise ohne größere Schäden davon. Bei mehreren Gelegenheiten änderte sich ihr Ausdruck sogar von Wut zu Versöhnlichkeit, und sie flogen als neue Partner zusammen weg.
»Diese Menschen machen mich krank«, sagte Emmy mit vor Entsetzen aufgerissenen Augen.
»Ja, ja...«, sagte Dreyer abwesend, da er angestrengt nachdachte. »Ja, je länger ich darüber nachdenke, desto weniger erfolgversprechend erscheint mir der Gedanke, zu ihnen allen zu sprechen, um einen gemeinsamen Widerstand zu organisieren. Es ist zu früh. In einigen Monaten haben wir vielleicht Erfolg, wenn sie noch verzweifelter und damit vernünftigen Gedanken eher aufgeschlossen sind. Aber selbst dann würde es wahrscheinlich noch lange dauern, Emmy. Es muß noch einen anderen Weg geben...«
Sie mußten brüllen, um sich über das Toben der Menge unten verständlich machen zu können.
Ein Junge sah Emmy und Dreyer einige Meter über dem (nun umgestürzten) Lieferwagen schweben. Er löste ein Gewehr vom Gurt über seiner Schulter und zielte...

Der Schuß verfehlte sie weit. Jemand anders schoß nach ihnen, und dieses Mal konnte Dreyer die heiße Luft spüren und die Kugel an seinem Ohr vorbeiheulen hören.
Er folgte Emmy, die zum Meer flog. Sie hatte die Arme eng an die Seiten gepreßt und die Hände zu Fäusten geballt. Doch er ließ seinen Zorn hinter sich zurück. Er spielte bereits mit einem neuen Gedanken.
Schließlich erreichten sie den Strand. Er wuselte vor Menschen. In Emmys derzeitiger Stimmung (Dreyer konnte das Bruchstück eines ihrer geistigen Bilder erkennen, als ihre Auf-Felder sich einmal einen winzigen Zeitraum knisternd überlappten) erinnerten die Strandbesucher sie an feiste, rosa und braungebrannte Schweine.
Sie folgten dem unregelmäßigen Verlauf der Küste, wobei sie strikt darauf achteten, sich von einer befestigten Hüttenniederlassung fernzuhalten, die von bewaffneten Patrouillen bewacht wurde.
In bestimmten Abständen war der Strand mit Leichen übersät; zerschellte Boote, Paddel und Bruchstücke von Holzhäusern wurden von den Gezeiten angespült, die sie vor Monaten anderswo mitgenommen hatten. Männer schwebten in einer Gruppe über den sanft rollenden Wellen und richteten Fischernetze her.
Andere waren damit beschäftigt, einen Ozeanriesen zu plündern, der im flachen Küstengewässer auf Grund gelaufen war.
Schließlich fanden Emmy und Dreyer einen verlassenen Strandabschnitt. Sie landeten auf einer Klippe über einem Flutbecken, einem Wasserkomplex, in dem sich die Brandung brechen konnte.
Sie fanden einen Orangenbaum mit einigen immer noch genießbaren Orangen an den obersten Zweigen. Er stand neben einem flachen Häuschen auf der Klippe. Sie setzten sich im Schatten des Orangenbaums nieder, aßen von den überreifen Früchten und ruhten sich aus. Hin und wieder schniefte Emmy, fluchte und schniefte wieder. Der Wind vom Heer war warm und roch nach Tang, Salz und Feuchtigkeit. Ein Möwenschwarm flog vorbei, taumelnd und aufblitzend weiß, wie Spielkarten, die man in die Luft geworfen hatte.
»Ja«, sagte Dreyer schließlich, »wir haben unsere Zeit vergeudet.«
»Aber wir haben es nicht einmal versucht. Wir könnten eine isoliertere Gemeinschaft suchen – wenn man diesen Pöbel dort unten eine Gemeinschaft nennen kann – und versuchen, zu denen zu sprechen.«
»Wir würden auf diese Weise niemals eine Gruppe zusammenbekommen, die der Armee ernstlich etwas anhaben kann. Dazu müßten wir

mehr als ein Jahr aufwenden, denn schließlich müßten wir ja rekrutieren und dann noch etwas aufbauen, das die Leute dazu bringt, der Armee den Rücken zu kehren. Bis dahin wird die Armee alles kontrollieren.«
Emmy hustete. »Sieht nicht so aus, als würdest du dir etwas Besseres einfallen lassen.«
»Nein? Ich bin der Meinung, daß mir bereits etwas Besseres eingefallen *ist.*«

3

Während sie am Spätnachmittag dem Küstenverlauf nach Süden folgten, fanden sie eine Künstlerkolonie, so hatte es jedenfalls den Anschein, die an der Leeseite eines großen Felshügels lag, der sie größtenteils vor den Folgen des Gewichtsverlustes geschützt hatte. Die doppelte Häuserreihe schien weitgehend intakt.
Auch hier waren die meisten Bewohner bewaffnet. Würden sie keine Waffen tragen, erkannte Dreyer, hätte ihre Gemeinschaft nicht bis jetzt überleben können. Doch anders als bei bisherigen Gemeinschaften, an denen sie vorbeigekommen waren, zeigten die Gesichter der Wächter keine Feindseligkeit. Diese Leute waren nicht auf Ärger und Streit aus.
Emmy und Dreyer waren von Essensgerüchen angelockt worden; ihr Vorrat an Dörrfleisch war fast aufgebraucht, und der Hunger nagte in ihren Eingeweiden.
Anscheinend war gerade ein Fest im Gange – wenigstens konnten sie eine offene Feuerstelle sehen, über der ein Schwein gegrillt wurde. Muscheln wurden gebacken, und daneben gab es noch Fisch und in Seetang gekochte Miesmuscheln. Während Emmy und Dreyer unentschlossen über ihnen schwebten, unterhielten sich einige der bewaffneten Männer, dann grinsten sie hoch und winkten ihnen zu.
Emmy und Dreyer landeten dankbar. Sie wurden begrüßt, einige Namen ausgetauscht, was aber so rasch vonstatten ging, daß Dreyer sie sich unmöglich alle merken konnte. Dann wurden ihnen ohne viel Aufhebens Keramikschüsseln mit einem warmen Mahl aus Meeresfrüchten angeboten.
Sie saßen mit überkreuzten Beinen im Sand und aßen ihren Anteil, während sie Tänzer in der Luft beobachteten, die nahe am Feuer mit den Rauchsäulen tanzten. Die Musik wurde von grinsenden Latinos

mit weißen Zähnen beigesteuert, die Tambalas, Blechtrommeln und Congas spielten oder einfach auf leeren Konservendosen den Takt klopften. Jemand sang (und die Menschen um das Feuer intonierten den Chorus):

Durch innere Leere wir größer werden,
Der Kopf muß leichter sein als sein Ballon.
Stoned sein ist das Größte auf Erden,
Je früher, desto besser, los, come on!
Je früher, desto besser, Leute,
Partner im Rauch,
Gönnt euch noch 'nen letzten Zug heute,
Tanzt schwerelos im Rauch.

Freigebig verteilten sie ihr selbstgezogenes Gras. Emmy akzeptierte, Dreyer lehnte ab (wobei er sich selbstbewußt und außerhalb fühlte).
Ein weißhaariger, dunkelhäutiger Mann, wahrscheinlich halb Mexikaner und halb Indianer, in Jeans, Boots und T-Shirt – eine Kleidung, die gar nicht zu ihnen zu passen schien –, stieg leise drei Meter vom Boden zu einem Punkt rechts von Dreyer auf und wandte das Gesicht dem dichten Rauch des Treibholzfeuers zu. Er bewegte die Hände rasch vor dem Gesicht hin und her. Seine dunklen Augen schienen in eine andere Daseinsebene zu schauen. Der Rauch kräuselte sich zu symmetrischen Mustern, er wurde vom Auf-Feld des Mannes zu einer sich dauernd verändernden dreidimensionalen und kinetischen Skulptur geformt. Die Muster waren hypnotisch und faszinierend, mit scharfen Kanten, kurze Visionen, die an Bilder Eschers erinnerten – verflochtene Rauchsäulen, die umeinander rotierten und den Eindruck von Unendlichkeit vermittelten, optische Illusionen, die den Anschein erweckten, als würde der Raum selbst in sich vom Innersten zum Äußersten gekrümmt. Aber alles bestand aus Rauch, nichts als Rauch. Gesichter erschienen zwischen den Auf-Skulpturen, dann verschmolzen menschliche Gestalten wie bei Gobelins mit ihnen. Beispielsweise verlieh er dem Körper einer nackten Frau zusätzliche Dimensionen, indem er Sand vom Boden emporschweben ließ, den er im Feld verteilte, um ein Funkeln in ihren Augen, das Schimmern ihres Haares oder die Farbe ihrer Nippel hervorzuheben...
»Ich habe noch nie eine solche Kunstfertigkeit beim Einsatz des Auf-Feldes gesehen«, murmelte Dreyer ehrfürchtig.

Ein bärtiger Mann an seiner Seite, dessen tiefe Furchen im Gesicht von einem langen, erfahrungsreichen Leben zeugten, beugte sich zu Dreyer und flüsterte: »Das liegt daran, daß er es schon lange praktiziert. Schon vor dem Großen Befreienden Auf hatte er die Gabe. Schon seit Jahren. Er erweckte sie selbst in sich, als er noch Teenager war...«
Dreyer sah weiter nachdenklich zu, bis der Weißhaarige unter ehrfürchtigem Applaus seine Darbietung beendete. Das verschaffte ihnen wirklich einen Einblick in die unglaubliche Komplexität, zu der das Auf fähig war.
Der Mann an seiner Seite, der Dreyers Gedanken aufgefangen hatte, nickte. »Ja. Manche sagen, es hebt uns auf die Stufe von Göttern empor. Ich persönlich glaube, daß es uns *dem* Gott einen Schritt nähergebracht hat. Wir sind jetzt nicht ihm ähnlicher, sondern sind ihm einfach nähergekommen...«
»Dann waren Sie in letzter Zeit nicht in L. A. Die Mehrheit der Menschen dort ist mehr dämonisch.«
»Auch Götter haben eine Kindheit«, sagte der Mann.
Dreyer wechselte das Thema, da ihn die philosophische Verschlagenheit des Mannes ärgerte. »Sind Ihnen hier in der Gegend Einsätze der Armee aufgefallen?«
»Ja. Sie waren schon hier, um Leute zu rekrutieren. Aber wir lassen sie nicht so nahe herankommen. Wir feuern Warnschüsse ab. Viele Leute fürchten, sie könnten stärkere Druckmittel gegen uns anwenden.«
»Das ist sicher berechtigt... Wahrscheinlich kommen sie eines Tages mit einer Streitmacht zurück, die ein Nein als Antwort nicht gelten läßt. Da werden Sie noch so viele Warnschüsse abgeben können.«
»Klar, hier kam bisher nur eine Patrouille her. Die Hauptmacht sitzt in San Diego. Und, soweit ich informiert bin, soll es auch nördlich der Ruinen von L. A. noch eine Kaserne geben.«
»Stimmt. Die haben Pläne mit uns...«
Sowohl Dreyer als auch Emmy brachten mehrere Stunden mit dem Versuch zu, zahllose Mitglieder der Gemeinschaft zu einem organisierten Widerstand gegen das Treiben der Armee zu überreden. Doch das allgemeine Stimmungsbild drückte aus, daß man für niemanden Verantwortung übernehmen wollte, nur für sich selbst. Leben und leben lassen. Wenn die Soldaten kommen, werden wir uns vor ihnen verbergen.

Sie verbrachten die Nacht in der Gemeinschaft, am anderen Morgen brachen sie nach San Diego auf.

4

Sie folgten der Küste nach Süden. Die Morgenluft war mild und klar, aber trocken. Das Land dagegen war saftig und üppig, Palmen schüttelten ihre Wedel in der Brise. Sie sahen Surfer, die anstelle ihres Brettes ihre Felder benützten; eine kleine Gemeinschaft hatte sich an Bord eines Kriegsschiffes gebildet, das vor der Küste angespült worden war. Dampfradfahrer schwebten in Gruppen über dem Wasser, sie kreischten vergnügt, wenn schaumgekrönte Wellen gegen ihre Knöchel schlugen.
Je weiter südlich sie kamen, desto spärlicher wurden Siedlungen und Sonnenbadende, dafür nahmen die Anzeichen militärischer Präsenz immer mehr zu. Treibstoffässer, Warnschilder, Sperrzäune, Patrouillen in der Ferne, Patrouillenboote vor der Küste und Kutter der Küstenwache, die mit Männern in Uniformen der Orbitalarmee bemannt waren.
Einmal raste donnernd ein Jet über ihnen am wenig bewölkten Himmel dahin.
Der Tag näherte sich dem Nachmittag. Sie rasteten und aßen (von der Künstlergemeinde hatten sie soviel mitbekommen, wie sie tragen konnten) auf dem Deck eines halb versunkenen Zerstörers, dessen Mikrowellenkanonen rostzerfressen waren und in dessen Radarantennen Möwen nisteten. Die ungeschützten Decks, einst einheitlich grau, wiesen nun zwei verschiedene Farbtöne auf – rot und weiß, Rost und Taubendreck.
Sie saßen im Schatten einer Mikrowellenkanone und nahmen eine Mahlzeit aus Dörrobst und getrocknetem Fisch zu sich, dazu tranken sie Limonade aus der Kantine. Die Sonne spiegelte sich auf den Wellen, die ein wenig ungeduldig gegen den Schiffskörper schlugen, als wäre das Meer begierig darauf, noch mehr von dem Schiff zu verschlingen. Der Zerstörer war vorn und backbords eingedrückt, der Bug verbogen und aufgerissen. Das Schiff war seitlich gegen einen Riffausläufer getrieben, was die Außenhülle nicht heil überstanden hatte. Jetzt war der Zerstörer teilweise vollgelaufen und wurde langsam Teil der Küstenlandschaft.
Emmy trank einen Schluck Limonade und sagte: »Weißt du, letzte

Nacht fühlte ich mich krank. Ich hatte eine Erkältung, die immer schlimmer wurde. Vielleicht hätte ich eine Grippe bekommen. Ich hatte Fieber und fühlte mich erschöpft, darum bin ich so früh zu Bett gegangen.«

»Ich habe mich nur zehn Minuten nach dir schlafen gelegt«, sagte Dreyer.

»Aber heute geht es mir gut«, fuhr Emmy fort. »Und ich glaube, das hat etwas mit diesem Schamanen zu tun.«

»Mit wem?«

»Diesem alten Indianer mit dem T-Shirt. Der, der die Skulpturen aus Rauch gefertigt hat. Jemand sagte mir, er wäre eine Art Medizinmann. Ein Peyote-Esser. Jedenfalls wachte ich heute morgen auf... und er stand über mir. Ich hatte keine Angst, er sah so friedlich aus. Es war, als würde ich in die Blattkrone eines Baumes aufschauen. Und er griff herunter und legte mir die Hand auf die Stirn, da fühlte ich mich so friedlich. Aber als ich wieder erwachte, war die Erkältung verschwunden. Als hätte er sie aus mir entfernt.«

»Das ist möglich«, sagte Dreyer. »Mir ist aufgefallen...«

»Bitte stehen Sie auf«, sagte der Mann, der von oben herabgeschwebt kam. Die Waffe in seiner Hand deutete auf Dreyers Brust. »Und heben Sie die Hände in die Höhe, damit wir Sie nach Waffen und dergleichen durchsuchen können.«

Nun konnten sie mehrere Soldaten erkennen, die mit gezogenen Waffen über ihnen schwebten.

Nachdem man sie gründlich durchsucht hatte, wandte sich ein Offizier an sie. »Was machen Sie hier?« fragte er. »Haben Sie denn die Warnschilder nicht gesehen? Das hier ist Sperrgebiet. Nur einem autorisierten Personenkreis ist der Zutritt erlaubt.«

»Wir sind gekommen«, sagte Dreyer mit Bedacht, »um uns freiwillig zu melden.«

Sechstes Buch

Inmitten: Ecken, die Kurven, und Kurven, die Ecken waren

1

Das Fort war viel größer und besser bewaffnet als Pagolinis Basis. Gepanzerte Vektoren, die modernen Panzer, wurden auf einem freien Feld erprobt. Sie überrollten Betonwände und legten mit Mikrowellen nachgebildete Siedlungen in Trümmer... Nullgravartilleristen praktizierten das Schleudern explosiver Geschosse mittels Auf-Feld unter Gefechtsbedingungen. Diese mit Explosivstoffen gefüllten Eisenkugeln waren die neuen Waffen der Artillerie, sie waren billig und einfach zu handhaben... Infanteristen übten das Ausheben von Schützengräben und -löchern unter Nullgravbedingungen... Männer sprangen ohne Fallschirme aus Flugzeugen ab und landeten sicher mit ihren Auf-Feldern... Auf einer Seite übten einige Männer sich in der neuen Kunst, Auf-Feld-Barrikaden zu errichten. Sie bemühten sich, ihre Felder zu vereinen, um hölzerne Übungsgranaten abzuwehren. Das Feld lenkte die drei Übungsgeschosse tatsächlich ab, doch dann brach es zusammen, als drei Männer in Uniform einander kichernd umarmten. Ihr Sergeant bellte ihnen wütende Befehle zu...
Dreyer betrachtete all das mit mehr Abscheu als Ehrfurcht. Er machte sich im Geiste von allem Notizen, was er während der Rundfahrt durch den Stützpunkt sah, der OA 1 genannt wurde, da die Orbitalpatrouille sich nun mit der OA zusammengetan hatte. Nun existierte nur noch die Orbitalarmee, eine geeinte und schlagkräftige Truppe.
Dreyer war deprimiert.
Teilweise war die Jeepfahrt dafür verantwortlich, das Holpern, die starre Gleichgültigkeit, der Gestank des Motors, der Lärm des Metalls... Auch hier war es gegen die Regel, das Auf einzusetzen, wenn man nicht ausdrücklichen Befehl von einem Vorgesetzten hatte oder ein Notfall vorlag. Vielleicht erweckte es zu leicht den Wunsch zu desertieren.
Doch der Großteil von Dreyers Depressionen rankte sich um Emmys Abwesenheit.
Sie hatten sie am Tor weggeführt.
Ohne ein erläuterndes Wort, doch offensichtlich hatte der Wachsoldat sie erkannt, seinem Blick nach zu urteilen. Anscheinend hatte Pa-

golini, erbost durch ihr Entkommen, ihre Personenbeschreibung in Umlauf gebracht.
Wohin hatten sie sie gebracht? Sollte er einen Fluchtversuch unternehmen und sie suchen? Sie würden ihn erschießen.
Er fragte sich, wie ihre Verhörmethoden aussehen mochten. Spekulationen darüber ließen ihn erschaudern.

2

Die Fröhlichkeit des Mannes, der ihn von der anderen Seite des Schreibtisches ansah, schien Dreyer übertrieben gekünstelt. Seine blauen Augen funkelten so sehr, daß Dreyer sich schon fragte, ob das von Kontaktlinsen herrühren konnte. Seine Wangen (das einzig Runde an ihm, alles andere war straff und glatt, ein ermüdendes Abbild der OA-Uniform) waren so rosig, als hätte er Rouge aufgetragen. Er stand auf und schüttelte Dreyers Hand, dann fragte er mit einer brüsken Ich-will-Ihnen-doch-nur-helfen-Stimme: »Und, haben Sie die Aufnahmeformalitäten alle hinter sich gebracht?«
»Ja. Hier ist meine Beurteilung.« Dreyer händigte dem Rekrutierungsoffizier (gleichzeitig oberster Ausbildungsoffizier und verantwortlicher Logistikoffizier) den Ordner aus und wartete. Er kam sich absurderweise wie ein Schuljunge vor, während der Mann die Papiere durchsah.
»Nun!« bequemte der Mann sich schließlich zu kommentieren. »Nun!« fügte er dann noch hinzu. Und einen Augenblick später dann: »Nun, ja.«
»Alles zufriedenstellend?« fragte Dreyer trocken.
»Fürwahr. Besonders in Public Relations und Komposition. Wie ich sehe, waren Sie Journalist. Das ist ausgezeichnet, wirklich ausgezeichnet. Sie nehmen mir eine große Last ab. Ich mußte bisher immer die EM-Nachrichten zusammenstellen. Ich glaube, diese Aufgabe werde ich in Zukunft Ihnen zuweisen, damit verbunden auch Moralkommunikation allgemein, sobald Ihr Sicherheitsnachweis durchkommt. Und vorausgesetzt, Sie machen sich gut in der Ausbildung.«
Er grinste und winkte. Verblüfft bemerkte Dreyer die grünen Zähne des Mannes.
Dreyer begann zu argwöhnen, daß der Mann auf eine subtile, unterschwellige Art und Weise verrückt sein konnte.

Der Offizier saß mit auf dem Schreibtisch aufgestützten Ellbogen da. Dreyer mußte stehen.
Dreyer betrachtete das Namensschild auf dem Schreibtisch. »Captain Woolsey?«
»Ja?«
»Wegen meiner Gefährtin...«
»Oh, ja! Ja, ich hörte, daß Sie ein wenig, äh, *ungeduldig* sind, was die Frau anbelangt.« Er kicherte. »Offensichtlich jemand, der Ihnen sehr nahe steht? Keine Sorge. Der alte Pagolini würde sie wahrscheinlich am liebsten hängen sehen, aber der alte Narr würde pro Woche ein Drittel des Stabes hängen, wenn der Generalstab ihn ließe. Er schafft es aber auch so, pro Monat zwei oder drei hinrichten zu lassen, ohne dabei sein Büro auch nur einen Schritt zu verlassen. Aber wahrscheinlich wäre ihr auch hier der Prozeß gemacht worden, um ganz sicher zu sein, wenn sich nicht jemand für sie eingesetzt hätte.«
Dreyer sah verblüfft auf. »Wer?«
»Unser wissenschaftlicher Strategieoffizier. Major Copeland.«
»Krie!« plärrte Dreyer.
Woolsey blinzelte. »Pardon? Welcher Krieg? Der im gelobten Vaterland?«
»Nein. Krie ist der Name, unter dem ich ihn gekannt habe. Ist er eine äh, Mikromaschine? Eine Enzykloperson?«
»Mit einem Computerimplant im Gehirn? Das ist er. Er hat seine Sicherheitsprüfung bereits hinter sich. War schon früher im Dienst der Regierung. Jetzt verstehe ich, weshalb Sie ihn Krie nennen. Er war eines der KRI-Modelle. Ja. Sie werden ihm im Anschluß an die Ausbildung während der Anweisungen begegnen.«
»Ausbildung?« Dreyer schluckte. »Ein Ausbildungslager?«
Woolsey kicherte. »Nein, um Himmels willen. Für so etwas haben wir keine Zeit mehr. Nur ein einwöchiger intensiver Unterricht in militärischen Vorschriften, Verhaltensregeln, Vorgesetztenverhältnis und einige Nullgrav- und Psi-Teste. Nur das Wesentlichste. Sie werden aller Wahrscheinlichkeit nach nächsten Montag mit der Arbeit beginnen können. Ihre Ausbildung wird andauern, während Sie arbeiten, mehr oder weniger während der Arbeitszeit. Und...«
»Was ist mit Miss Durant?«
Einen Augenblick huschte der Schatten eines Stirnrunzelns über Woolseys Züge. Doch dann lächelte er wieder strahlend. »Zuerst werden Sie lernen müssen, daß man einen Vorgesetzten nicht unterbricht. Sie werden als zweiter Leutnant beginnen...«

»Schon in der ersten Woche so hoch?« fiel ihm Dreyer ins Wort. Woolseys Miene verfinsterte sich.
»Tut mir leid, Sir«, versicherte Dreyer hastig. »Ich vergaß, Sir...«
»Ausgezeichnet.« Irgendwie war Woolseys Verhalten merklich kühler geworden. »Ihre Testergebnisse entscheiden über Ihren Rang. Im Ernstfall hängt unser Überleben an einem seidenen Faden. Und was die Frau anbelangt, sie wird die Assistentin Major Copelands werden. Über Ihren Rang bin ich mir noch nicht im klaren.« Er räusperte sich. »Jetzt gehen Sie bitte zu Sergeant Bonham in Block zweiundzwanzig, dort werden Sie Ihre Uniform bekommen, werden einem medizinischen Test unterzogen, und so weiter. Hier ist Ihre Anweisung. Viel Erfolg bei der Ausbildung, Leutnant.«
Dreyer seufzte innerlich. »Danke, Sir.« Es würde eine lange Woche werden.

3

Die beiden ersten Tage waren am schlimmsten.
Nach dem anfänglichen Anspornen, Ziehen, in Reih und Glied stehen, Ablegen, Kennzeichnen, Abwägen und Einquartieren begannen sie endlich mit den regulären Kursen.
Sie bekamen jede Nacht vier Stunden Drogenschlaf und während des Tages zwanzig Minuten Schlaf und zwei zehnminütige Pausen. Wenige hätten diese Prozedur heil überstanden (oder das Essen, das quantitativ unzureichend und qualitativ unter jedem Niveau war, da es sich hauptsächlich aus uralten Notrationen zusammensetzte, die man aus Bunkern geborgen hatte), wären da nicht die morgendlichen Hypnamindosen gewesen. Hypnamin war eine Kombination aus Denkfähigkeitssteigerung und Amphetaminen. Es ermöglichte den Auszubildenden, viel Wissen mit wenig Notizen aufzunehmen, denn sie absorbierten große Datenmengen wie mnemonische Schwämme. Dreyer war sich darüber im klaren, daß sie am Ende der kräftezehrenden Woche wenigstens einen Tag damit verbringen mußten, sich von dem Hypnamin zu erholen – und er stellte insgeheim die Anwendung von Drogen zur besseren Lernfähigkeit der Armee in Frage. Doch er stellte nichts laut in Frage, nicht einmal gegenüber anderen Kursteilnehmern. Es war sehr wichtig, daß er so rückhaltlos wie möglich von den anderen Offizieren des Korps akzeptiert wurde. Er durfte ihnen keinen Anlaß geben, an seiner Loyalität oder seiner Urteilsfähigkeit

zu zweifeln. Daher bemühte er sich, besser als die anderen zu sein, und er bemühte sich ebenfalls, den Standpunkt der Orbitalarmee zur Handhabung der Welt nach dem Gewichtsverlust immer als den besten darzustellen.
Gelegentlich vernahmen sie Gerüchte vom Krieg. Man behauptete, daß die Russen nach Nordmexiko und in das Hinterland der Ostküste der Vereinigten Staaten vorstießen. Und eines Tages legte ein Schiff an den beschädigten Überresten des ehemaligen Marinedocks an, wenige Meilen nördlich von den Überresten San Diegos. Zweiundvierzig Verwundete wurden von Bord gebracht, und Dreyer beobachtete vom Kasernenhof, wie die Nullgravbahren auf Auf-Feldern in den Stützpunkt eskortiert und sanft neben dem OA-1-Hospital abgesetzt wurden. Er war nicht weit entfernt und konnte so erkennen, daß die Opfer wie Überlebende eines Erdbebens aussahen – die Verletzungen waren fast ausnahmslos schwere Quetschungen.
Dreyer hätte sich beinahe angewidert entfernt, als ihm plötzlich bewußt wurde, daß er sich gerade im Auf-gelenkten Wurf großer nichtexplosiver Eisengeschosse übte, die dazu geschaffen waren, den Feind zu zerquetschen...
Er sah Emmy nur zweimal täglich in der Kantine (aber nicht beim Essen); sie waren gezwungen, an entgegengesetzten Seiten der Cafeteria zu sitzen. Die Rekruten erachteten die Trennung von Männern und Frauen beim Essen und Schlafen ausnahmslos als barbarisch und absurd. Vor dem Gewichtsverlust war die Unterbringung immer gemischt gewesen. Doch nun fällte der Generalstab die Entscheidungen, nicht mehr der Kongreß, und daher wurden viele der alten, reaktionären Militärvorschriften wieder eingeführt. Sie begegneten allem durch Zitieren der Sondervorschriften für den Kriegszustand...
Dreyer hatte hilflos mit ansehen müssen, wie zwei Korporäle einen Teilnehmer des Lehrgangs verprügelten, der sich geweigert hatte, am Nahkampftraining teilzunehmen. Um genauer zu sein, er hatte sich lediglich geweigert, einen Gewehrkolbenstoß auszuführen, bei dem auch im Training Blut im Gesicht des Opfers zu sehen sein mußte. Der Mann war selbst bewußtlos und blutend zur Krankenstation getragen worden. Dreyer erfuhr nie, ob er überlebt hatte.
Während er in einer langen Reihe nach Essen anstand, konnte Dreyer zu seiner Verblüffung den Drillsergeanten sehen, der die Leibgarde des Generalstabes durch die Nullgravmarschzeremonien scheuchte.
Die marschierenden Männer (von denen die meisten in der Luft marschierten und dabei ihre Beine absurd auf nichts hin und her bewegten

und sich bemühten, nicht zu kichern, wenn ihre Felder einander berührten) formten einen zehnstöckigen amerikanischen Adler mit ausgebreiteten Schwingen. Er erinnerte an ein aus Zahlen zusammengesetztes Computerbild. Oder, wie es der hinter Dreyer stehende Dithers ausdrückte: »Sieht aus wie ein altes Busby Berkeley Musical.«
»Wer ist denn Busby Berkeley?« flüsterte Dreyer, der den Zugführer sorgsam im Auge behielt.
»Vergiß es«, sagte Dithers. »Erzähl ich dir später.« Bevor das Gebiet um San Francisco durch ein mit dem Gewichtsverlust verbundenes Erdbeben zerstört worden war, war Dithers Professor für Kulturgeschichte an der Universität von Kalifornien gewesen. Im Lauf der Woche hatte Dreyer Freundschaft mit Dithers geschlossen. Seine Koje war neben der Dreyers. »Weißt du, was das ist?« fragte Dithers leise, während der riesige Adler sich in einen riesigen Bomber verwandelte. »Das ist eine Beschwörung, Mann. Ein Schamanenritual, wenn sie das auch nicht wissen. Sie versuchen, die alte Militärmacht der USA durch die Zurschaustellung hoffnungsvoller Magie wiederherstellen zu können.«
»Unterhaltet ihr euch auch nett, Jungs?« fragte ihr Kommandant zynisch und trat von hinten an sie heran. »Dafür werdet ihr heute halbe Rationen bekommen.«
Dreyer dachte: Wenn diese Woche vorbei ist, werde ich dich degradieren lassen. Und er dachte weiterhin: Macht nur so weiter, ihr alle, spielt Soldat und versucht, die alte militärische Ordnung wiederherzustellen. Hofft auf eine weltweite Militärregierung. Es wird euer letztes Hurra sein, ihr Bastarde.
Der Rest der Woche verschmolz zu einem Nebel von Unterricht, Pillenschlucken und Auf-Feld-Training. Die Schlafmittel und das Hypnamin schmolzen alles zusammen, und Dreyer war zu benommen, um enttäuscht zu sein, als sie am Sonntagvormittag gesagt bekamen, daß es keinen Tag zum Ausruhen und Entspannen geben würde. Sie würden arbeiten müssen, während die Wirkung der Drogen nachließ. Alles war Teil der großen Benommenheit.

4

Er war immer noch benommen, als er am Montagmorgen sein Offizierspatent in Empfang nahm.
Am Vortag waren die Hypnaminverabreichungen eingestellt worden. Dreyer spürte die Wirkung des einwöchigen Drogenkonsums. Der Raum, samt den Aktenordnern, den Bücherregalen und dem ungenutzten Computerterminal, verschwamm vor seinen Augen. Das Muster des Holzbodens schien zu kochen, die Wände bogen sich übelkeiterregend. Dreyer selbst ging unsicher und wünschte sich, er hätte Auf-schweben können.
»Sie sehen nicht gut aus, Leutnant Dreyer«, sagte Woolsey und entblößte seine verfaulten Zähne zu einem Grinsen, während er Dreyer das Offizierspatent hinhielt, damit dieser unterschreiben konnte. Dreyer murmelte etwas und hoffte, daß es sich wie *Nein, Sir* anhörte, während er seine Unterschrift auf der punktierten Linie hinkritzelte.
»Nun, mein Sohn«, sagte Woolsey, obwohl Dreyer wahrscheinlich der ältere war, »werde ich Ihnen ein kleines Geheimnis verraten. Trinken Sie hiervon etwas... nun machen Sie schon, aber erzählen Sie keiner Menschenseele etwas davon. Sie werden im Handumdrehen wieder geraden Kurs steuern...« Er reichte Dreyer eine Plastiktasse mit dampfendem Kaffee – wahrscheinlich Ersatzkaffee –, dem Synthamesk beigegeben war. »Komisch, aber wenn man von Hypnamin runterkommt, bringt einen Synthamesk mehr oder weniger wieder auf Vordermann. Das ist eine Art chemische Reaktion, das Meskalin reagiert mit dem im Organismus verbliebenen Hypnamin. Und das Koffein. Komisch, aber...«
»Ja, Sir!« sagte Dreyer, richtete sich auf und nahm seinen Durchschlag des Offizierspatents unter den Arm. Im Augenblick ging es ihm viel besser, und er mochte Woolsey fast. Der Raum schwankte nicht mehr um ihn herum, und auch der Fußboden war eben geworden.
»So, Sie waren der letzte«, sagte Woolsey und richtete sich auf. »Gehen wir zur Anweisung. Ihre erste Anweisung, also passen Sie gut auf.«
»Ja, Sir.«
Während er Woolsey durch den Flur zum Unterrichtsraum folgte, nutzte Dreyer die Gelegenheit, seine Papiere durchzublättern. Sie hatten immer ausweichend geantwortet, wenn er nach der Dauer seiner Dienstzeit gefragt hatte, und sie hatten bemerkt, das hinge von

der Art der Tätigkeit ab, die man ihm zuweisen würde. Im Offizierspatent aber stand es eindeutig: Zehn Jahre.
Dreyer lächelte in sich hinein, da ihn die unglaubliche Dreistigkeit der Armeebosse amüsierte.
Dreißig graduierte Offiziere befanden sich in dem Anweisungsraum. Sie saßen in vier Reihen auf Klappstühlen, Beine übergeschlagen und Mützen im Schoß. An einer Wand befand sich eine mit unverständlichen Tabellen bedeckte Pinnwand und eine Tafel. »Rührt euch«, schnaubte Woolsey beim Eintreten, obwohl keiner Anstalten zum Aufstehen gemacht hatte.
Dreyer bemerkte vier weibliche Offiziere in der hinteren Reihe. Fast hätte er Emmy unter ihnen nicht erkannt. Ihr Haar war geschnitten und glatt unter eine Mütze gestrichen, ihre Hose war im Männerschnitt angefertigt, wobei man die silbernen Litzen entfernt hatte. Sie lächelte ihm achselzuckend zu. In der Uniform sah sie fast wie eine Fremde aus.
Neben ihr stand Krie. Major Copeland. Er nickte fast unmerklich in Dreyers Richtung. Dreyer beugte ebenfalls den Kopf minimal, dann nahm er neben Dithers auf einem freien Stuhl Platz.
Dithers deutete augenblicklich auf die zehnjährige Dienstzeit im Vertrag und rollte mit den Augen.
Dreyer lächelte und schüttelte den Kopf.
Dithers hatte schwarze Augen und eine dunkle Haut, sein schwarzes Haar war an den Schläfen bereits graumeliert, seine pummeligen Züge wiesen zahlreiche Lachfältchen auf. Er sah mehr wie ein Ortega oder ein Sitting Bull als ein Dithers aus. Dreyer hatte sich oft gefragt, ob Dithers auch wirklich so hieß.
Woolsey unterhielt sich leise mit einem blauäugigen, blonden Mann, der neben den Tabellen saß, ein Captain. Auf dem Namensschild unter seinem Pilotenabzeichen, dem Adler, stand *Hanover, Sicherheitsoffizier*.
»Hat er dir auch dieses Synthameskzeug gegeben?« fragte Dithers flüsternd.
Dreyer nickte überrascht.
Dithers kicherte. »An deinem Ausdruck sehe ich, daß du der einzige zu sein glaubtest, der es bekam. Den Eindruck hat Woolsey uns allen vermittelt. Was für ein Witz! Sie können uns nicht auf Hypnamin lassen, sonst werden wir süchtig. Daher verwenden sie Synthamesk, um uns bis zur nächsten Droge fit zu halten. Nächste Woche werden wir Tripamin bekommen. Und in der darauffolgenden Woche werden

sie uns wieder etwas anderes verabreichen, damit wir noch mehr leisten können. Doch sie wechseln die Drogen dauernd, bevor jemand süchtig werden kann. Und dazwischen verabreichen sie uns Tranquilizer, damit keiner ausklinkt.«
Dreyer schloß die Augen und konzentrierte sich. Er schaffte es, nicht laut zu fluchen. Scheißkerle, dachte er. Hurensöhne. »Damit werden sie uns umbringen«, murmelte er.
»Ich werde mich weigern, das Zeug zu nehmen«, sagte Dithers. »Verdammt, was nützt uns denn unser Offizierspatent, wenn man uns so behandelt?«
Woolsey klopfte mit einem Zeigestock auf den Tisch. Das Murmeln der Unterhaltungen wurde zu einem fernen Säuseln, dann herrschte Stille, die lediglich hin und wieder durch den Schrei eines Drilloffiziers vom Kasernenhof unterbrochen wurde. Die Sonne schien herein, wurde allerdings durch einen Sonnenschutz etwas abgeschwächt. Dreyers Magen knurrte, so spärlich war das Frühstück wieder gewesen. Durch das Synthamesk erschienen die Linien und Kanten im Raum unnatürlich scharf, das Licht schimmerte mit fast lebender Energie. Es handelte sich um eine nichtpsychedelische Variante des Meskalins, nicht mehr als ein Stimulans. Kaum merkliche elektrische Fünkchen prasselten zwischen seinen Zähnen.
»Auf dieser Karte sehen wir die Computersimulation der Kraftfeldfront des nordamerikanischen Psychus«, sagte Woolsey, der über die Schulter zu den Versammelten sprach. »Bitte beachten Sie die punktierten Linien – hier ist der Psychus entweder durch geringe Bevölkerungsdichte, russische Besatzungszonen oder eine entzweiende Kontingentgruppe geschwächt...«
Als er verstummte, um sich zu räuspern, fragte jemand: »Was ist eine entzweiende Kontingentgruppe?«
»Eine Gruppe von Subversiven, ethnischen Minderheiten oder Gruppenverstand-Kolonien. Mit den letzteren sind wir erst vor kurzer Zeit in Kontakt getreten, einige Männer desertierten ihretwegen, und die Moraloffiziere der Truppe wollen sich darum kümmern. Wir werden uns später mit ihnen befassen, wenn die Geheimdienstleute, die wir losgeschickt haben, mit mehr Informationen zurückkehren. Und was die subversiven Kräfte anbelangt – nun, darum soll die A. I. B. sich kümmern. Das sind wirklich die einzigen mit einer gewissen Organisation. Den Unwissenden unter Ihnen möchte ich erklären, daß A. I. B. für Amerikanisch-Indianische Bewegung steht. Sie scheinen eine eigenständige Psychusmembran zu entwickeln... Hier sehen wir den

Störeinfluß des russischen Psychus, wo dieser mit unserem eigenen interferiert, an der Ostküste und im Süden des Landes. Sie werden bemerken, daß die Entfernung der Front keinen verringernden Effekt auf die Psychusintensität der Invasionsstreitmacht hat. Egal, wie weit sie von Rußland entfernt sind, ihr Psychus ist an allen Fronten gleich stark, es sei denn, die Gruppe, die in einem bestimmten Gebiet die Psychusstrahlen aussendet, wird geteilt. Wenn die Zahl unter vierhundert sinkt, wird er schwächer, weist Lücken auf, und die Grenzen werden unscharf...« Er wandte sich an die Versammelten: »Damit sehen Sie, daß die Integrität des Psychus zerstört werden kann. Er kann sozusagen leckschlagen, wenn die moralische oder politische Integrität von innen aufgebrochen wird oder wenn die Anzahl der Männer unter ein Mindestmaß absinkt. Das bedeutet, die Erhaltung der Einheit muß oberstes Ziel sein – und doch haben wir herausgefunden, je größer die Einheit des Feldes ist, desto geringer ist die militärische Disziplin. Offensichtlich müssen wir also auf die Entwicklung eines speziellen Geisteszustandes hinarbeiten, der das Nullgravbewußtsein kontrolliert und es dennoch innerlich funktionsfähig hält. Wir arbeiten gerade an der Entwicklung einer Droge, die diesen Effekt erzielen könnte...«
Dreyer fuhr erschrocken zusammen, als Dithers ihm ungehalten ins Wort fiel: »Sie wollen die Männer einer Gehirnwäsche unterziehen.«
Der Sicherheitsoffizier, Hanover, sah Dithers mit einem Ausdruck an, bei dem Dreyer dachte: *Bisher hat er Dithers noch nicht bemerkt. Aber nun, da er ihn bemerkt hat, möge ihm Gott gnädig sein.*
Woolseys Lächeln war erzwungen. »Ich würde nicht sagen, Leutnant Dithers, daß ein vereinheitlichter Geisteszustand etwas mit Gehirnwäsche zu tun hat...«
»Nein?« erwiderte Dithers kampflustig. Jeder starrte ihn an. »Nicht? Es ist Gehirnwäsche, da Sie mit Drogen und Indoktrination den freien Willen beeinflussen. Weil Sie genau wissen, daß die Degravitation Ausdruck einer neuen Freiheit unseres Unterbewußtseins ist. Sie erkennen instinktiv, daß diese Freiheit antimilitaristisch ist, essentiell anarchistisch. Das ist der wahre Grund, weshalb Sie eine nichtspezialisierte Schwerkraftaufhebung in der Basis nicht dulden. Weil der Prozeß in sich antiautoritäre Aktivitäten birgt. Nullgrav war nicht für den Krieg gedacht, denn ein Krieg erfordert, daß eine Mehrheit sich den Befehlen einer Minderheit unterstellt, aber die Schwerkraftaufhebung ist ein Auswuchs des Instinktes grenzenloser Freiheit im Flug...«

Er verstummte und sah sich verblüfft um, als habe er eben erst erkannt, daß er seinen Gedanken laut Ausdruck verliehen hatte.
Das liegt an dem Synthamesk, dachte Dreyer, es hat seine Hemmschwelle gesenkt.
Der Offizier betrachtete Dithers wie eine Katze den Vogel.
Auch Dithers schien ihn zu bemerken. Doch er lächelte nur und schüttelte den Kopf, als würde er nachdenken. Jetzt ist es passiert, du dummer Narr, du. Dann zuckte er die Achseln. Was spielte es jetzt noch für eine Rolle?
Er konnte seine Ausführungen auch zu Ende bringen.
»Sie haben Kurven errichtet, wo Ecken sein sollten, und Ecken, wo sich Kurven befinden müßten«, fuhr Dithers fort. »Die Degravitation entstand nur aus geschwungenen Kurven, nicht aus den harten und reaktionären Ecken des militärischen Verstandes. Sie entstand zum Fliegen und zur Selbstfindung. Doch Sie haben illusionäre Kurven errichtet, wo die geraden Ecken der Selbstfindung aufragen müßten. Und dort, wo die Degravitation den natürlichen Fluß der Ereignisse verstärken sollte, Geschwungenes statt Eckigem, da...«
»Das *genügt«*, sagte Woolsey. Die Art, wie er *genügt* betonte, hatte etwas Endgültiges. »Der Rest kann zum Offizier vom Dienst gehen und weitere Befehle abholen. Er wird Sie einteilen.«
Die Männer verschwanden einer nach dem anderen aus dem Zimmer und bedachten den unglücklich zum Fenster hinausschauenden Dithers mit verstohlenen Blicken. Emmy sah hilflos zu Dreyer und folgte Krie.
Dreyer zögerte. Er wollte Dithers helfen – wer immer er auch sein mochte – und wußte nicht, wie.
Woolsey gab Dreyer ein Zeichen. Dreyer schritt mit mechanischen Bewegungen zu ihm hin. »Sir?«
»Sie werden Moraloffizier werden, Dreyer«, sagte Woolsey. »Ich möchte, daß Sie Zeuge der Verhaftung werden, um darüber im Nachrichtenbulletin der Mannschaften berichten zu können. Sie werden die Ereignisse im richtigen Licht schildern müssen.«
»Die Verhaftung?« sagte Dreyer, dem nun auffiel, daß Hanover den Raum verlassen hatte. Er kam in diesem Augenblick mit zwei Militärpolizisten wieder zurück.
Sie traten zu dem sitzenden Dithers hin.
»Captain Hanover«, sagte Woolsey bedächtig, »hat unseren ›Dithers‹ erkannt. Der Mann wird gesucht. Er ist ein Agent der A. I. B. Ich möchte, daß Sie Zeuge der Exekution werden.«

Siebtes Buch

Vom Meer: Die seltsam vertrauten Fremden

1

»Wieso sind Sie so sicher, daß dieser Raum nicht abgehört wird?« fragte Dithers. Dreyer mußte sich daran erinnern, daß dies nicht »Dithers« war.
»Ich bin nicht hundertprozentig sicher. Aber ich glaube, ich habe so etwas läuten hören. Außerdem ist alle Art von Ausrüstung knapp... ich bezweifle, ob sie überhaupt noch einen Abhörspezialisten haben.«
Dreyer sah sich in der Betonzelle um, dann setzte er sich auf die Holzpritsche, die neben einem Klosett und einem Spind den einzigen Einrichtungsgegenstand bildete. »Wie heißt du wirklich?«
Der Indianer bedachte Dreyer mit einem fragenden Blick.
Dreyer schüttelte lächelnd den Kopf. »Ich bin kein Informant. Außerdem scheinen sie ohnehin zu wissen, wer du bist. Mir hat es aber keiner gesagt.«
»Dann spielen Sie also keine sehr große Rolle bei ihnen, was?« »Dithers« zuckte mit den Schultern und ging hin und her. »Mein Name ist Kilkenny. Joe Kilkenny.«
Dreyer seufzte. »Schon gut. Wenn du es mir nicht sagen möchtest.«
»Das ist mein Name, friß oder stirb. Der steht auf meiner Geburtsurkunde. Ist nicht meine Schuld, daß ich keinen indianischer klingenden Namen habe. Ich bin nur ein halber Indianer, oder vielleicht ein bißchen mehr, da meine Mutter eine reinrassige Indianerin und mein Vater Halbindianer war...« Plötzlich wandte er sich an Dreyer und sagte: »Was willst du? Wirst du das alles für ihr Bulletin aufschreiben?« Er sprach mit ätzendem Zynismus. »›Profil eines Verräters‹?«
Dreyer sah zur Tür, durch das verdrahtete Sichtfenster konnte er erkennen, daß der Korridor verlassen war. Niemand konnte zuhören.
»Nun denn, Joe Kilkenny. Komm her, Mann, setz dich.« Dreyer deutete zu der Bank.
Kilkenny zögerte, sah zur Tür, dann zuckte er die Achseln und trat an Dreyers Seite. »Ja?«
»Ich bin so ziemlich aus denselben Gründen hier wie du auch. Falls du aus den Gründen hier bist, an die ich denke. Du bist hier, um sie zu unterwandern und vielleicht herauszufinden, wie ihre Pläne bezüg-

lich der Indianer aussehen. Und ich bin hier, um sie aufzuhalten, wenn ich es kann. Ich bin nicht auf eine Militärdiktatur scharf. Welchem Stamm gehörst du an? Den Klamath?«
Kilkenny schüttelte den Kopf und schwieg eisern.
»Kein Vertrauen zu mir?« fragte Dreyer. »Mir egal. Hör zu. Wenn du mir einen Kontakt zu einem Angehörigen deines Stammes vermitteln kannst, werde ich für deine Befreiung sorgen. Wenigstens werde ich mein Bestes versuchen.«
»Warum?«
»Weil uns dein Fall vertraut ist weil ich dich mag und weil... ich möchte, daß dein Volk, ein Mann davon, etwas für mich tut. Er muß eine spezielle Botschaft überbringen. Eine, die mit dazu beitragen wird, die... äh...« – er gestikulierte zur Tür – »... zu unterminieren.«
Kilkenny schüttelte langsam den Kopf. »Hört sich ganz nach einem Schachzug der Militärs an, mich zum Reden zu bringen.«
Dreyer stand auf. »Okay. Es gibt eine Methode, sich Klarheit zu verschaffen. Wir können unsere Felder überlagern und in die Gedanken des anderen eindringen. Du kannst meinen Verstand lesen und wirst erkennen, was ich vorhabe...«
Kilkenny horchte auf. »Da könnte was dran sein...« Doch dann runzelte er wieder die Stirn. »Aber wenn das funktioniert, warum setzen sie es dann nicht zur Befragung ein?«
»Teilweise deshalb, weil es beiderseits auf freiwilliger Basis geschehen muß, um eindeutige Ergebnisse zu liefern, teilweise deshalb, weil der Befrager sich selbst entblößen müßte und nur wenige bereit sind, einem völlig Fremden ihre innersten Gedanken zu enthüllen...«
Kilkenny erhob sich nickend.
Sie traten ins Zentrum des Raumes, legten einander die Hände auf die Schultern und hielten sich auf Armeslänge fest. »Überlagern wir nun unsere Felder, indem wir uns gegenseitig anheben, einer den anderen. Fünfzig Zentimeter über den Boden, aber auf die Decke achten.«
Dreyer hielt seine Gefühle unter Kontrolle und ließ Kilkenny mit dem Feld sanft aufsteigen. Er zitterte, als er Kilkennys Feld spürte, das *ihn* anhob, bis sie beide mehr oder weniger stabil fünfzig Zentimeter über dem Boden schwebten und einander ansahen.
Blaue und grüne Fünkchen blitzten hier und da an den Kontaktpunkten der Felder auf, die vier Hemisphären der Männer überlagerten sich vollständig. Dreyer verspürte ein Zittern, als wäre ein Schalter in seinem Innern umgelegt worden. Er schloß die Augen und ließ alle Grenzbäume seines Geistes hochgehen, dann enthüllte er sein Fortge-

hen von der Gruppe, seinen Flug nach Süden, seine Begegnung mit der Kolonie der Quelle von Allem, sein Wiedersehen mit Emmy, ihre Pläne zur Lahmlegung der Armee...
Doch auch seine geheimsten, innersten Gefühle konnte Dreyer nicht vor Kilkenny verbergen, seine närrischen Ambitionen, seinen Stolz, sein Bedauern, seine Fehler, seine geheimen Gelüste, seine obszönen Wünsche, seine religiösen Überzeugungen...
Aber auch Dreyer konnte einen Blick in Kilkennys Innerstes tun.
Und als es vorüber war, sanken sie wieder zu Boden. Beide verschlossen die Augen vor der Ungeheuerlichkeit, eine andere Welt gesehen zu haben, ein anderes Menschenwesen. Sie umarmten sich weinend. Freunde fürs Leben waren vereint.
Dann hörte Dreyer sorgsam zu, während Kilkenny ihm einen Sabotageplan zuflüsterte und ihm den Namen eines bestimmten Saboteurs mitteilte...

2

Die Solarzellen glänzten bleich im hellen Mondlicht.
Dreyer schwebte einige Zentimeter über dem Boden. Er hielt sich zwischen den beiden Zulieferungsstationen, konischen Gebäuden, die den Stromfluß von den Solarzellen kontrollierten. Die näherliegende Station summte, während sie den Stützpunkt mit der am Tag gespeicherten Energie versorgte.
Hier war Dreyer für die fünfzehn Meter entfernt gähnend patrouillierenden Wachen nicht zu sehen, die sich jenseits des Absperrzauns aufhielten. Dreyer beobachtete einen Mann, der gerade um die Ecke der Krankenstation bog. Er würde in fünf Minuten wieder hier sein und die Solarzellenanlage überprüfen. Dreyer hoffte, daß der Mann, auf den er wartete, pünktlich sein würde.
Er setzte sich auf einen geteerten Weg zwischen den konischen Gebäuden und ließ den Blick über die achteckigen Sonnenzellen schweifen. Er wartete.
Drei Sekunden später vernahm er leises Schürfen auf Metall und ein Klicken. Dreyer lächelte. Er stieg drei Meter in die Höhe und schwebte vorsichtig zur anderen Seite des Gebäudes. Er sah über den Block des Bauwerkes hinab auf den von Scheinwerfern erhellten Platz und stellte fest, daß niemand zu sehen war... Im Schatten neben den Fundamenten konnte er eine schemenhafte Gestalt ausmachen, dort

kauerte ein Mann und richtete Drähte an einem kleinen Kästchen. Dreyer sah zu, wie der ganz in Schwarz gekleidete Mann, der auch das Gesicht mit Asche geschwärzt hatte, das Kästchen an der Unterseite der Verteilerstation anbrachte. Als der Fremde seine Werkzeuge wieder verstaut hatte, flüsterte Dreyer: »Kilkenny schickt mich, und wenn der Plan nicht geändert wurde, mußt du Hungriges Geschoß sein, richtig?«

Der Mann fuhr in die Höhe und wirbelte herum. Furcht war in seinem Blick zu lesen. Er griff nach einer Pistole im Halfter, richtete den Lauf auf Dreyers Gesicht und betätigte den Abzug. Nichts geschah. Der Mann betrachtete die Waffe verwirrt.

»Das habe ich beim Training gelernt. Hier – ich bin nämlich ein Spion wie Kilkenny – habe ich gelernt, wie man eine Pistole funktionsunfähig macht, indem man in den Mechanismus eingreift«, sagte Dreyer.

Der Mann ließ die Waffe langsam sinken. Er sah über die Schulter zu der Stelle, wo er das Kästchen verborgen hatte. »Woher soll ich wissen, daß Sie wirklich von Kilkenny kommen?« fragte er mit heiserer Stimme.

»Sie können erst in einigen Minuten ganz sicher sein, wenn ich zugelassen habe, daß Sie diese Station in die Luft sprengen. Zwei Fragen: *Sind* Sie Hungriges Geschoß? Und wann wird dieses Ding losgehen?«

»Ja. In etwa zwei Minuten.«

»Dann verschwinden wir von hier. Die Wache wird auch in etwa zwei Minuten wieder hier sein.«

Der Mann zögerte. Er betrachtete die Bombe, dann Dreyer. Schließlich nickte er. »Dort ist es am wenigsten beleuchtet...« Er deutete nach Osten, wo ein Eukalyptuswäldchen an der Grenze des Stützpunktes stand.

Sie schwebten empor, Dreyer zuerst, um Hungriges Geschoß die Angst zu nehmen, und ließen den Zaun hinter sich. Sie flogen über den Kopf eines schläfrig nickenden Wachsoldaten, dann über das Blätterdach des Eukalyptuswäldchens. Dreyer hielt auf einen gewaltigen, moosbewachsenen Felsen zu, der aus dem Hügelkamm herausragte. Dann drehte er sich zu dem Indianer um.

Hungriges Geschoß landete. Er zog ein langes Messer aus dem Gürtel und nahm eine kleine Taschenlampe in die andere Hand. Er leuchtete Dreyer damit ins Gesicht. Dreyer blinzelte geduldig.

Der Indianer trat einen Schritt zurück und lockerte den Griff um das Messer.

»Richtig«, sagte Dreyer mit leisem Lächeln, »ich bin ein Weißer. Und ihr wollt doch sicher keinen Rassenkrieg entfesseln, oder?«
Der Indianer sah Dreyer ohne zu antworten an. Es war ein junger Mann, dessen rundliches Gesicht mit den scharf blickenden schwarzen Augen trotz der Dunkelheit noch erkennbar war.
»Ich...«, begann er.
Doch die Detonation unterbrach ihn.
Beide sahen nach Westen zum Stützpunkt.
Alarmsirenen heulten auf, Lichtfinger griffen durch die Dunkelheit, während der Stützpunkt erwachte und der entstandene Schaden begutachtet wurde.
»Dadurch wird ihnen Kilkenny gewiß nicht sympathischer werden«, kommentierte Dreyer.
»Wissen sie denn, wer er ist?«
»Ich habe keine Ahnung, wie er glauben konnte, unerkannt durchzukommen. Die Indianer sind eigentlich nicht der Staatsfeind Nummer eins, aber man begegnet ihnen mit größtem Mißtrauen. Ihr habt zuviel Schaden angerichtet. Er hätte sich Garcia oder so nennen sollen, nicht Dithers. Den Chicanos vertrauen sie.«
»Wir sind alle Amateure«, gab Hungriges Geschoß zu und steckte das Messer weg.
»Nun, vielleicht hätte er trotzdem durchkommen können, er stand schließlich eine Woche der Indoktrination durch. Sie brauchen unbedingt Soldaten, und wenn sie uns nicht unter Drogen gesetzt hätten... Die Drogen waren schuld, daß er einige höchst verräterische Kommentare gab... Holt ihn verdammt schnell raus. Er soll morgen öffentlich hingerichtet werden.«
Dreyer holte ein Stück Papier aus seiner Brusttasche, das er Hungriges Geschoß überreichte. »Hier ist ein Plan des Stützpunktes, und...« Sie schauten beide überrascht nach Westen, als die Lichter des Stützpunkts ausgingen. »Aha. Euer Plan zeigt Erfolg. Sie verfügten zwar über einen gewissen Energievorrat, aber nicht genug, um den gesamten Stützpunkt länger als wenige Minuten zu erleuchten. Das ist die Gelegenheit. Jeder ist wach, aber alle sind verwirrt, und es ist überall dunkel, abgesehen von ein paar Taschenlampen... Hast du, äh, Freunde in der Nähe?«
Hungriges Geschoß atmete tief durch, dann entschied er, daß er Dreyer vertrauen konnte. »Ja. Zehn.«
»Hol sie und führe sie zum Gefängnis. Es ist auf der Karte rot eingezeichnet. Holt ihn raus. Macht es von oben, direkt von oben. Blast die

Nordwand des Gefängnisses mit den Auf-Feldern weg. Kilkenny ist darauf vorbereitet, er hat bereits Schutz gesucht. Zerschmettert die Wand gemeinsam, dann wird er mit dem Auf in dieses Wäldchen fliehen. Das habe ich für ihn ausgearbeitet. Wenn ihr rasch genug handelt, müßte es klappen. Das ist der Vorteil der Nullgrav-Felder – es ist schwer, jemanden aufzuhalten oder einzufangen...«
Hungriges Geschoß wandte sich ab und schwebte in die Nacht. Bald war er in den Schatten verschwunden.
Als Dreyer wieder in seine Baracke zurückkehrte, wo er vorgab, die Folgen der Explosion untersucht zu haben, vernahm er die ersten Gerüchte von »Dithers'« Flucht.
Kilkenny war frei, und Dreyer vertraute dem Mann so weit, daß er ihm eine Botschaft für die Kolonie der Quelle von Allem anvertrauen konnte.
Aber Dreyer wußte nicht, ob die Quelle auch antworten würde.

3

Er wurde von neuerlichem Sirenengeheul geweckt (die von Hand angekurbelt werden mußten, denn der Stützpunkt war voraussichtlich auf Wochen ohne Strom).
Die anderen Männer in der Baracke waren bereits aufgesprungen und zogen sich an.
Dreyer zog gerade im grauen Dämmerlicht seine Stiefel an, als Woolsey in der Tür auftauchte. In der Dämmerung sah er grotesk mannequinähnlich aus. »Dreyer? Hier sind Sie. Ziehen Sie sich an, schnappen Sie sich ein Nahrungskonzentratpaket vom Laster, und kommen Sie dann zum Stabsjeep. Wir werden in den Jeeps bleiben, bis wir angekommen sind, damit alle dicht beieinander bleiben. Nur die Männer, die in den Kampf ziehen, werden fliegen dürfen.«
»Die wohin ziehen?« fragte Dreyer schläfrig und knöpfte sein Hemd zu. »Was für einen Kampf?«
»Mit den Russen, Sie Narr! Wir wurden aufgefordert, unsere Truppen zur Verstärkung der Baja-Blockade zur Verfügung zu stellen. Sie sind nur noch zwanzig Meilen entfernt, Mann! Bewegung, Mann!«
Dreyer unterdrückte einen Fluch. Er hatte seine... Vorbereitungen noch nicht getroffen.
Emmy saß neben Krie vorn im Stabsjeep. Sie lächelte Dreyer vorsichtig zu.

Die Sonne war noch nicht über den Hügeln aufgegangen, das Licht war trügerisch, vom Meer wehte ein kühler Wind herein. Ihr Atem kondensierte graublau in der frischen Morgenluft. Dreyer hatte kaum auf der Rückbank neben Woolsey Platz genommen, da startete Krie den Wagen auch schon und brauste los, um sich in die Kolonne der anderen Jeeps einzureihen, die wartend stand und wertvollen Alkohol um des militärischen Popanzes willen vergeudete.
Die grün und braun gefleckten Wagen fuhren dichtauf in die Berge, während über dem Konvoi mehr als tausend Soldaten in zwei Schichten schwebten und unnötigerweise den Windungen der Straße folgten.
»Heute«, sagte Woolsey, »erwarten wir nicht, den Dingen, äh, *schrecklich* nahe zu kommen. Es werden sich lediglich eine Reihe kleinerer Scharmützel abspielen, wenn die beiden Gegner sich beschnuppern... Morgen werden wir vielleicht aufgefordert, im Notfall eine Schwadron zu befehligen, wenn sich die Lage zu unseren Ungunsten entwickeln sollte und wir unter Druck geraten. Ich wünsche, daß Sie heute nur beobachten und sich Notizen machen. Sie werden alles für die Männer aufschreiben. Denken Sie dabei in Begriffen wie Heldentum und Solidarität... und umgekehrt, heben Sie die Unmenschlichkeit des Feindes hervor, wenn Sie über ihn schreiben. Vergessen Sie nicht, die Moral ist eminent wichtig.«
»Ja, Sir«, sagte Dreyer.
»Wir werden im Lager E stoppen, um den Befehl über das Experimentalbataillon zu übernehmen. Nur hundert Mann.«
»Lager E, Sir?«
»Die Motorradfahrer«, sagte Woolsey seufzend. Er mißbilligte das anscheinend. »*Und* Rocker. Und alle anderen, die zu, äh, zweifelhaft sind, als daß man sie ins normale Lager herüberholen könnte. Es sind gefährliche, brutale Männer. Wenn wir nicht so dringend Leute benötigen würden...«
»Ja, Sir.«

4

Erst am späten Nachmittag konnte Dreyer die Gegenseite erstmals sehen.
Das Bataillon hatte sich in einem dreißig Hektar großen Orangenhain eingegraben, dessen Bäume verwahrlost waren und wild wucherten.

Nur die Orangen waren von der großen Gruppe der unbezahlten Obstpflücker der Westküste geerntet worden: den Hungernden.
Der Hain umfaßte drei flache Hügel. Die Russen hatten sich im Kamm des südwestlichsten Hügels vergraben. Der nordöstliche Hügel war unbesetzt, der nordwestliche wurde von den amerikanischen Truppen gehalten.
Die Russen hatten den Atlantik mit Schiffen überquert und waren bei Panama an Land gegangen. Sie hatten ein großes Truppenkontingent am Kanal stationiert und die Reste ihrer Westküstentruppe durch die gelichteten Reihen zur Küste Mexikos transportiert. Dort hatte sich nach dem Gewichtsverlust ein marxistisches Regime etabliert, das den Stoß der Russen nach Norden unterstützte (als Gegenleistung für das Versprechen industrieller Hilfe). Dann waren sie bis Baja vorgedrungen, wo sie sich vor San Diego abwartend verschanzt hatten...
Auch die Russen waren nicht in der Lage, ihre Armee ausreichend zu verpflegen. Inzwischen verfügten sie auch kaum mehr über Zugmaschinen und waren wesentlich stärker auf das Auf angewiesen als auf Motoren. Aber es war eine zähe Truppe, besser vorbereitet und disziplinierter.
Und doch bemerkte Dreyer, der sie durch den Feldstecher beobachtete, mehr Gemeinsamkeiten bei den Männern als Unterschiede – Gemeinsamkeiten mit seinem eigenen Volk. Größtenteils waren sie bulliger und breiter in den Zügen. Aber sie lachten so oft wie die Amerikaner, bewegten sich untereinander so ungezwungen wie die Amerikaner, und sie waren ebenso erschöpft und ebenso hungrig. Sie waren Fremde, aber seltsam vertraute Fremde.
... Im Zeitalter der Degravitation hatte sich die Kunst der Kriegführung gewandelt.
Etwa zwei Fünftel einer Meile lagen zwischen den Kontrahenten. Inmitten der sanft geschwungenen Hügel der Landschaft konnte man hin und wieder Überreste der einstigen Zivilisation erkennen: verrostete Landwirtschaftsmaschinen, verbogene Antennen der Vibrationsanlagen zur Bekämpfung von Krankheiten, die zwischen umgestürzten Orangenbäumen verborgen waren. Die Bäume waren staubbedeckt, der Boden dazwischen dicht mit Unkraut und einigen gelb blühenden Sträuchern überwuchert... Dreyer, Emmy und Krie beobachteten aus einem moosbewachsenen Baumhaus auf einer Kuppe, von dem sie den Hain östlich überblicken konnten. Sie verbargen sich in einem Eichenwald, dessen herbstgoldene Blätter immer noch dicht genug waren, um sie zu verbergen.

Als Waffen hatten sie lediglich Pistolen und Handgranaten bei sich...
Dreyer beobachtete russische Beobachter beim Fliegen. Ihre untersetzten Gestalten hoben sich deutlich vor dem Sonnenlicht ab, das von ihren Feldstechern gespiegelt wurde. Sie flogen nieder, manchmal wurden sie von Baumkronen verborgen, und legten den Weg im Zickzack zurück, um eventuelle amerikanische Spione abzuschütteln. Einige Schüsse bellten, konnten aber offensichtlich nichts ausrichten.
Die Russen schaufelten mit konzentrierten Auf-Feldern Erde um ihre Maschinengewehrstellungen auf.
Bewaffnete Vektoren, die man nur gelegentlich zwischen den Bäumen sehen konnte, pflügten ominös durch den Hain. Sie bewegten sich auf die aufgeworfenen Erdwälle zu, die den russischen Hügel umgaben.
Maschinenwaffen sind im neuen Zeitalter überflüssig. Die bewaffneten Vektoren näherten sich mit lauten Mahlgeräuschen dem feindlichen Hügel und fuhren hinauf. Mit ihren Mikrowellenwaffen lichteten sie den Wald, damit sie die Bäume so leicht wie Aschesäulen niederwalzen konnten. Doch bevor sie sich noch dem oberen Drittel des verbarrikadierten Feindhügels genähert hatten, blieben sie stehen, als wären sie vor eine unsichtbare Mauer gefahren. Russische Soldaten, alle unbewaffnet, damit nichts ihre Konzentration stören konnte, hingen über den Vektoren in der Luft. Ihre hellblauen Uniformen sahen wie Flecken am Himmel aus. »Wie ich sehe«, kommentierte Dreyer, »sind die Russen auch imstande, Telekinese zum Blockieren von Maschinen einzusetzen. Weißt du über die Reichweite Bescheid?«
»Im allgemeinen«, antwortete Krie, ohne den Blick von der Szenerie abzuwenden, »beträgt sie fünfzig Meter mit hinreichender Genauigkeit, wenn man größere Objekte bewegen möchte. Etwa zehn Meter bei etwas so Kleinem wie einem Gewehr. Hat man Ihnen das während der Ausbildung nicht beigebracht?«
»Ich wußte nicht, ob deine Schlußfolgerungen sich mit denen der Aufklärer decken. Ich vertraue dir.«
»Willst du mir aus irgendeinem Grund schmeicheln?« fragte Krie mit ausdruckslosem Gesicht.
Dreyer schluckte. Er hoffte, daß er sich außerhalb der telepathischen Reichweite Kries befand. »Nein, ich...«
»Warum bist du hier bei uns, Dreyer?« fragte Krie, und nun sah er ihn zum erstenmal an. Seine Augen glitzerten wie Glasscherben in der Sonne. Ungeachtet der sonnigen Lage ihres Aussichtspostens

war sein Gesicht so fahl wie das einer Leiche. »Emmy arbeitet für mich, weil ich ihr vertraue. Aber ich kenne deine Instinkte, Dreyer. Sie sind abstoßend liberal und unpraktikabel. Du gaukelst anderen vor, eine Art Gandhi zu sein. Warum bist du hier?«

Emmy sah zwischen den beiden Männern hin und her, enthielt sich aber eines Kommentars.

Dreyer straffte sich. »Warum bist *du* hier, Krie?«

»Während wir in der Armee sind, werden Sie mich Major Copeland nennen.«

»Ja, Sir.«

»Dreyer, ich bin hier, weil ich der festen Überzeugung bin, daß der europäische Psychus aggressiv ist. Alles verschlingend. Er wird uns schlucken und versklaven, wenn er dazu in der Lage ist. Zudem stößt mich das allseits herrschende Chaos ab. Das Militär wird uns wieder vereinen.«

»Die Frieden-durch-Alleinherrschaft-Regel Alexanders des Großen?« fragte Dreyer sardonisch. »Ich will offen zu Ihnen sprechen, Major Copeland. Ich werde Ihnen sagen, weshalb ich hier bin. Ich bin hier, um den Kämpfen ein Ende zu setzen.«

Emmy zog die Brauen in die Höhe, Furcht verdunkelte ihre Wangen.

Krie sah zu der Falltür im Boden der Hütte, als wolle er Hilfe rufen und Dreyer festnehmen lassen. Dreyers Waffe betrachtete er absichtlich nicht.

»Keine Sorge, Krie«, sagte Dreyer höflich. »Ich bin hier, um dem *Kämpfen* Einhalt zu gebieten, nicht der Armee. Die Armee ist das kleinere Übel. Das ist sogar mir klar«, log Dreyer. »Aber ich glaube nicht, daß Gewalt der einzige Weg ist, Frieden zwischen den Psychussen zu halten. Ich glaube, wir können psychische Kampfmittel einsetzen, bei denen niemand ernstlich zu Schaden kommt. Ich gebe zu, daß sich meine Ansichten, wie man die Russen zurückschlagen müßte, stark von Ihren unterscheiden. Doch ich werde mich den Entscheidungen des Generalstabes beugen, keine Sorge. Ich gebe mich hinsichtlich der Russen keinen Illusionen hin. Sie sind zu autoritär und skrupellos...«

»Gütiger Himmel!« rief Emmy aus, die das Schlachtfeld durch den Feldstecher beobachtete.

Dreyer und Krie wandten sich um.

Während der Unterhaltung zwischen den beiden Männern war der Orangenhain in eine Wüste verwandelt worden.

Die Hälfte der Bäume war entwurzelt, selbst jetzt wurden noch welche in beide Richtungen geschleudert. Die Telekinesespezialisten der Russen hatten die vier Vektoren vom Boden abgehoben, und die verchromten Waffenrohre funkelten in der Sonne, während sie alle aufeinanderstürzten.

»Großer Gott, es muß scheußlich sein, jetzt in so einem Ding zu sitzen«, sagte Emmy und deutete auf einen der Panzer, der unter den anderen zerschmettert worden war – zerschmettert, aber keineswegs plattgedrückt. Die Männer im Innern waren wahrscheinlich verletzt, aber noch am Leben.

Mit Explosivstoffen gefüllte Eisenkugeln wurden durch die Luft geschleudert, von acht fliegenden (es war seltsam, Geschosse so langsam fliegen zu sehen, sie waren leicht auszumachen, wie Perlen am Himmel) Geschossen fanden zwei ihr Ziel. Eines durchschlug eine Lehmbarrikade. Jemand schrie (was man laut und deutlich hören konnte), ein Krater entstand, doch die Kugel explodierte nicht. Das andere Geschoß raste in die Hügelflanke hinein. Einen Augenblick lang zweifelte Dreyer, doch dann explodierte das Geschoß, abgetrennte Gliedmaßen und Erdbrocken wurden davongeschleudert. Die anderen sechs Kugeln wurden von Auf-Barrieren abgewehrt. Eine Kugel flog immer wieder hin und her, gleich einer unentschlossenen Fliege, während amerikanische und russische Kraftfelder sich bemühten, sie unter ihre Kontrolle zu bekommen. Dann explodierte sie mitten in der Luft und verletzte Männer beider Seiten mit ihren Splittern. Andere Kugeln explodierten harmlos auf beiden Seiten, ohne Schaden anzurichten (nein, das stimmte nicht, dachte Dreyer, die Erde wird verwundet). Staub verschleierte die Landschaft. Eine aufsteigende Wolke machte die Umrisse einiger Auf-Felder sichtbar, die Bäume entwurzelten, Kugeln schleuderten oder Felsen bewegten. Die Felder erinnerten an Ölflecken auf Wasser, waren aber in ihrer Beschaffenheit solider und bewegten sich mit der Intelligenz der Männer, die sie bewegten. Jedes Feld, das man flüchtig erkennen konnte, ehe der Staub zu dünn wurde oder etwas anderes den Blick trübte, wurde sorgsam von anderen ferngehalten, als wäre es empfindlich gegenüber dem Kontakt mit anderen Feldern... als hätten sie Angst vor dieser Berührung.

Wieder erfolgte ein Geschoßhagel – weitere Explosionen verheerten die Kraterlandschaft zwischen den Hügeln noch mehr. Die Erde erbebte unter den Detonationen und schien unter dem Kreischen entwurzelter Bäume bersten zu wollen. Emmy sagte: »Ich kann die

Schmerzen der Bäume spüren. Mit meinem Auf. Ich empfange sie. Manchmal auch etwas von den verwundeten Männern.« Sie starrte gebannt aus dem glaslosen Fenster, dann wich sie zurück, kauerte sich nieder und wischte fast hysterisch ein Spinnennetz weg.
»Unsinn«, sagte Krie.
Emmy rannte zu der Falltür. »Idioten!« rief sie.
Dreyer fragte sich, wen speziell sie meinte. Dann kam er zu der Überzeugung, daß sie niemand besonders im Sinn hatte.
»Emmy!« riefen Krie und Dreyer gemeinsam. Sie kletterte die Leiter hinunter, entfernte sich von dem Baumhaus und flog weg. Dreyer betrachtete die Falltür hilflos. Er wollte ihr nach. Aber Krie würde ihn melden. Daher ging er zum Fenster zurück, doch seine Bewegungen waren so widerwillig, daß er glaubte, gegen eine unsichtbare Kraft anlaufen zu müssen.
Eine Phalanx von Männern, die wenige Zentimeter über dem Boden schwebten, näherte sich den Russen von Nordwesten. Die an der Spitze feuerten aus automatischen Schnellfeuergewehren. Die Luft vibrierte. Staub rieselte von der Decke des Baumhauses herab, das mit den Schockwellen des Kampfes zitterte.
Der Vibrationsstoß des Kampfes spielte sich auf zwei Ebenen ab. Zum einen gab es die Schall- und Schockwellen von explodierenden Geschossen und Einschlägen, zum anderen konnte man die subtileren Vibrationen der kämpfenden Auf-Felder spüren, daneben Emotionsstrahlungen, die Dreyer mit seinen verkümmerten telepathisch-telekinetischen Sinnen wahrnehmen konnte, wie ein kristallenes Radio, das infolge der Botschaften aus der Luft vibrierte und Töne weitergab, obwohl es nicht über eigene Energie verfügte. Dreyer mußte die übermittelten Schmerzen der Verwundeten abblocken, so wie die Kämpfenden mit ihren Auf-Feldern den Feindbeschuß abwehren mußten.
... Die Szenerie vor ihm machte Dreyer angst. Sie war irgendwie fremdartig. Die Hügel griffen die Hügel an – die Männer waren bedeutungslos, sie schienen kein wichtiger Bestandteil des Kampfes mehr zu sein, obwohl sie erheblich zur Verwüstung der Landschaft beitrugen. Unsichtbare Riesen schleuderten Felsbrocken. Die Hügel warfen Stücke ihres eigenen Fleisches gegeneinander. Das Schlachtfeld wurde zu einem Kaleidoskop von Projektilen, von denen die meisten abgewehrt werden konnten, ehe sie ihr Ziel trafen. Der näher kommenden Phalanx ging ein unsichtbarer Speer telekinetischer Gewalten voraus, der die Erdoberfläche zerteilte. Felsbrocken, Bäume

und Kies wurden von ihm beiseite geschleudert... Dreyer hatte den Eindruck, daß das ganze Tal ein irrsinniger Hexenkessel war, der sich selbst zerfleischte und aus einer unbekannten Frustration heraus seine Erdhaut aufriß. Es handelte sich um einen Vulkanausbruch, dessen Magma psychischer Natur war.
Ein Jeep flog sich überschlagend in den Fels des Hügels. Vier granatenwerfende Männer waren zwischen Rauchwolken und fliegenden Trümmern zu sehen, drei von ihnen wurden von heftigem Maschinengewehrfeuer niedergestreckt. Doch der vierte schlug sich tapfer durch ein Labyrinth fliegender Wurfgeschosse und warf seine Handgranate... Dreyer beobachtete durch den Feldstecher, wie der Mann über einer russischen Stellung schwebte und mit den Männern hinter dem Maschinengewehr rang. Die Granate schwebte in der Mitte zwischen den beiden. Dreyer war verblüfft, als der schwebende Mann, der die Granate geworfen hatte, eine ungeduldige Geste machte und mit ihr die Granate beiseite fegte, so daß sie unschädlich über dem unbesetzten Hügel explodierte – dann flogen die beiden Männer, ein Russe und ein Amerikaner, gemeinsam davon...
Seite an Seite.
Dreyer betrachtete Krie. Die Enzykloperson hatte einen anderen Abschnitt des Kampfes beobachtet.
Dreyer hängte das Fernglas um den Hals und begab sich zur Luke, wobei er sich bemühte, geschäftig und nonchalant auszusehen. Krie wandte sich um und betrachtete ihn scharf. »Ich suche eine Geschichte für das Mannschaftsbulletin«, improvisierte Dreyer. »Ich muß näher ran, um über Einzelheiten berichten zu können. Bin gleich zurück.« Hastig stieg er die Leiter hinab. Er war froh, daß sich der Stamm der Eiche zwischen ihm und dem Kampfgeschehen befand, schließlich durfte er die Granatsplitter nicht vergessen. Am Boden angekommen, sah er sich argwöhnisch um. Er stand auf einem Weg, der zwischen hohen Brombeersträuchern verlief. Niemand war zu sehen.
Dreyer machte sich die verbergenden Brombeersträucher zunutze und stieg etwa dreißig Zentimeter über den Erdboden auf. Er folgte dem Pfad, so rasch er konnte, nach Süden, ohne die Hand von seiner Pistole zu lassen. Dreißig Sekunden später tauchte er aus dem Wäldchen auf. Grauer Rauch hing über dem Tal unter seinem Hügel, der sich südöstlich vom Schlachtfeld befand. Eine Patrouille eilte zwischen Bäumen dahin. Russen. Sie hielten Waffen in den Händen und befanden sich etwa eine Viertelmeile entfernt und fast genau unter

ihm. Er nahm das Fernglas und suchte den Horizont ab, bis er die Umrisse der beiden fliehenden Gestalten gefunden hatte. Er machte sich an die Verfolgung. Die Landschaft unter ihm löste sich in grüne und braune Streifen auf, während er die beiden Deserteure mit großer Geschwindigkeit verfolgte...
Hätten sie nicht angehalten, um in einer Felsspalte zu beratschlagen, hätte er sie wahrscheinlich niemals eingeholt. Sie standen im Schatten einer Pinie nebeneinander und unterhielten sich in gedämpftem Tonfall. Vieles davon war Zeichensprache, doch der Russe schien etwas Englisch zu verstehen. Gelegentlich näherten sie sich einander, um schwierigere Sachverhalte mittels ihrer telepathischen Felder zu klären. Dreyer beschloß, sich ihnen zu zeigen – bisher hatte er sich im Blattwerk über ihren Köpfen verborgen gehalten. Er ließ seine Pistole zwischen sie fallen. Sie prallte von einer Wurzel ab und fiel in den Schlamm. Die beiden sprangen verblüfft auseinander. »Ich liefere euch meine Waffe aus«, rief Dreyer und sank hinab, »damit ihr seht, daß ich in friedlicher Absicht komme. Seht! Ich bin unbewaffnet!« Er breitete die Arme weit aus. Während er landete, beobachteten sie ihn argwöhnisch, aber mit mehr Neugier als Furcht. Der Russe war klein, hatte einen blonden Schnurrbart und kurzes, kräftiges Haar. Sein Gesichtsausdruck war herzlich. Er hatte blaue Augen, und seine Lippen umspielte ein Lächeln. Der andere Mann war groß und schlaksig, ein Chicano mit schwarzen Augen und dichtem schwarzem Haar – er war schon eine ganze Weile bei der Orbitalarmee, überlegte Dreyer, denn sein Haar war nicht exakt geschnitten. Auf seiner Hemdtasche war *Santos* aufgenäht. Beide Männer waren schweißüberströmt und schlammverkrustet. »Was wollen Sie?« fragte Santos.
Es fiel Dreyer schwer, seiner Freude Ausdruck zu verleihen. »Ich habe gesehen, wie ihr beide das Schlachtfeld verlassen habt. Ich muß den Grund dafür erfahren. Ich will diesen verdammten Krieg beenden, und ich habe das Gefühl, als könnte mir euer Desertieren den Weg dazu zeigen... Ich möchte in einer Woche oder so ebenfalls desertieren... Ihr habt wohl gerade überlegt, wohin ihr gehen wollt, was?«
Santos nickte. Er fingerte an seiner Waffe.
»Ich werde euch den Weg zu einer Siedlung beschreiben, wo man euch aufnehmen wird. Sie liegt in nördlicher Richtung. Es war bisher meine Siedlung, bevor ich hierherkommen mußte. Ich werde wieder dorthin zurückkehren. Sagt ihnen, daß Richard Dreyer euch geschickt hat. Aber nähert euch ohne Waffen, sonst könnte es sein, daß man euch niederschießt.«

»Warum sollten Sie so etwas für uns tun?« fragte Santos. »Vielleicht handelt es sich um ein Militärlager oder so etwas...«
»Das würdet ihr erkennen können, *bevor* ihr zu nahe seid... Und selbstverständlich möchte ich eine Gegenleistung für den Tip. Ich möchte wissen, *warum* ihr beschlossen habt, *gemeinsam* zu desertieren.«
Santos zuckte die Achseln. »Das liegt an dem Degravfeld. Komisch. Es zeigt einem, was der andere fühlt und empfindet, wenn man die Felder überlagert. Wir wurden ausgebildet, das auf keinen Fall zu tun. Wir sollten unsere Felder nur zum Transport und zum Kampf mit dem Feind benützen, aber niemals die Felder koppeln, richtig? Aber manchmal wird es eben dicht und eng an der Front, du oder er, und du kämpfst mit jemandem, der dicht vor dir steht – Scheiße. Sie wissen es doch auch. Du setzt dein Feld ein, um mit dem Burschen zu ringen, und dann siehst du plötzlich aus seinen Augen. Dann kannst du ihn einfach nicht mehr töten. Und wenn man sich dann die Lage betrachtet, dann, nun, dann sieht die ganze Scheiße plötzlich so *dumm* aus. Ich meine, wir werden ja nicht einmal für das hier bezahlt. Was haben wir schon? Raum und Essen und Schutz vor der Wildnis – behaupten sie. Ich stelle mich lieber allein und ohne Essen der Wildnis, als mich abknallen zu lassen. Und wenn man den Standpunkt des anderen sieht und er den eigenen, das ist, als würde man Notizen vergleichen, und dann erkennt man plötzlich, wie dumm alles ist und... zum Teufel damit. Lohnt nicht. Dies ist so ein großes Land. Es muß einen besseren Weg des Überlebens geben, richtig?«
Dreyer grinste. »Richtig... ist das auch schon anderen passiert?«
»Ja, hin und wieder. Manchmal kommt einer dem Feind so nahe, daß ihre Felder sich überlagern, und dann zieht ein seltsamer Magnetismus sie aneinander...«
»Mehr wollte ich nicht wissen.« Dreyer zog einen Bleistift aus der Tasche und malte hastig den Weg zur Siedlung bei der Blockhütte auf. »Es ist ein gutes Stück Weg, wenn ihr dorthin wollt, aber aus diesem Gebiet müßt ihr sowieso verschwinden. Ich selbst hatte mich ungewollt von dort entfernt, aber ich fand anderntags mit Karten den genauen Standort heraus. Hier müßt ihr hin.« Er gab dem Russen das Papier, schüttelte beiden die Hände, hob seine Waffe wieder auf und flog los, um Emmy zu suchen. Zum erstenmal seit Wochen fühlte er sich wieder völlig unbeschwert.

5

Dreyer schritt in den Schützengräben auf und ab und spähte in die Nacht. Emmy war nicht zurückgekehrt, und er hatte sie auch nicht gefunden. Woolsey war der Meinung, Dreyers Niedergeschlagenheit würde von der Nachricht herrühren, daß die amerikanischen Truppen in der Schlacht den kürzeren gezogen hatten. Die Moral hatte einen neuen Tiefststand erreicht – wie auch die Lebensmittelvorräte, da die Indianer die Nachschubkolonne von der Kaserne in ihre Gewalt gebracht hatten. Man vermutete, daß sie einen Tip bekommen hatten, was die Route der Wagen anbelangte (Dreyer war in der Position zu sagen, daß dieser Verdacht so unbegründet nicht war, denn schließlich hatte er selbst Kilkenny den Kodeschlüssel für die verschlüsselten Funkbotschaften von der Kaserne gegeben). Das trug auch nicht dazu bei, die Stimmung in der Armee zu heben. »Nur Mut«, ermunterte Woolsey ihn, da ihm Dreyers finstere Miene nicht entging. »Morgen werden wir's dem Iwan zeigen.«

»Ja, Sir«, sagte Dreyer wütend. Er konnte nur an Emmy denken. Krie hatte sich geweigert, einen Suchtrupp zusammenzustellen. Höchstwahrscheinlich war sie schon tot.

Nun stand er allein in dem seltsamen Nebel, der sich auf besorgniserregende Weise über ihr Lager gelegt hatte. Er stand neben einem schwach brennenden Feuer am äußersten westlichen Rand der Schützengräben. Mitternacht war bereits vorüber, Geräusche waren fast keine zu hören, abgesehen vom Zirpen der Zikaden und dem Rauschen der mittels Schwerkraftaufhebung transportierten Güter. Dreyer stand neben einer verbrannten Birke und blinzelte in die grauverhangenen Nebelbänke vor dem Antlitz der Nacht.

Innerhalb von dreißig Minuten empfing er zwei Besucher. Der eine war real, der andere weniger, fast eine Halluzination.

Der erste Besucher erschien in der Luft über dem schwelenden Lagerfeuer. Sein Bild wurde durch die aufsteigende Wärme, die von den Scheiten ausging, verwischt. Es handelte sich um einen nackten Mann, wie er Dreyer schon einmal begegnet war. Ein feierlicher junger Mann, der ein Teil von Vielen war. Sein Mund bewegte sich nicht, doch die Worte des jungen Mannes hallten in Dreyers Kopf.

Du hast uns gerufen. Ein Mann kam. Wir sind hier.

»Ja«, sagte Dreyer wie im Traum. »Seid ihr wirklich hier?«

Mein Körper ruht bei der Quelle von Allem. Du siehst meine geistige Projektion. Du allein kannst mich sehen.

»Weißt du, was hier geschehen ist?«
Eine Art Völkermord, bei dem die Opfer einverstanden sind, getötet zu werden. Wir wissen. Wir sind besorgt.
»Werdet ihr handeln?«
Unsere Methode ist das Abwarten. Vielleicht liegt das Geschehene in der Ordnung der Natur.
»Ich verstehe. Du hoffst, es wird das Gesindel aus *eurer* Welt eliminieren. Sei nicht zu optimistisch. Vorher werden sie uns alle umgebracht haben. Auch dich. Des weiteren ziehen deine Kolonien... Abtrünnige vom Rest der Menschheit an. Wenn die ganze Menschheit vernichtet wird, woher möchtest du dann deine Getreuen bekommen? Sicher, das wird eine lange Zeit dauern, aber die Jungen und Starken sterben derweil auf dem Schlachtfeld... Und angenommen, eine Seite gewinnt wirklich und der Eroberung folgt ein Frieden, dann wird der Sieger eine Militärdiktatur errichten. Und diese Militärdiktatur wird dich als einen... Rivalen ansehen. Sie werden dich suchen und vernichten. Sie werden es versuchen, und viele von euch werden sterben.«
Wir extrapolieren nicht, wir leben für den Augenblick. Doch deine Weisheit ist unleugbar. Und doch ist es undenkbar, daß wir unsere Macht zum Töten einsetzen.
»Ich verlange nicht, daß ihr sie tötet. Ich möchte, daß du, Quelle, zu ihnen sprichst. Du mußt ihnen im Geiste Befehle geben, besonders den Männern im Lager E. Du mußt mit aller Macht Unzufriedenheit säen. Und das muß im rechten Augenblick erfolgen, wenn sie am tiefsten in die Kampfhandlungen verstrickt sind. Die Wahl des Zeitpunkts ist von entscheidender Wichtigkeit... Auch ich werde meinen Teil beitragen. Ich möchte, daß du ihnen folgendes suggerierst...«
Dreyer sprach noch mehrere Minuten weiter. Als er zum Ende kam, tauchte der zweite Besucher von hinten auf und fragte:
»Mit wem sprichst du?«
»Ich...« Dreyer wandte sich um und empfand die absurde Angst, Woolsey könnte hinter ihm stehen.
Es war Emmy. Dreyer wandte sich wieder dem Feuer zu. Die Vision war verschwunden. Emmy trat in den Feuerschein. Sie umarmten sich. Sie roch nach Schwefel, Feuchtigkeit und Morast. Und Blut.
»Du bist verletzt!« sagte Dreyer ungläubig.
Ihr rechtes Bein war um das Kniegelenk bandagiert.
»Ein Granatsplitter«, sagte Emmy achselzuckend. Sie nahm auf einem Baumstumpf Platz.

»Verdammt, Emmy...! Bleib ruhig sitzen, ich hole einen Arzt...«
»Nein! Ich möchte mich allein mit dir unterhalten. Ich wurde bereits ärztlich behandelt. Ein russischer Arzt. Er gab mir etwas Morphium, holte den Splitter heraus und behandelte die Wunde. Netter Kerl. Er hat nicht versucht, mich gefangenzunehmen oder sonstwas.«
Dreyer betrachtete sie, sein Herz floß über. Im spärlichen Feuerschein sah sie hager, aber nichtsdestotrotz liebenswürdig aus. Ihr Haar bildete eine nasse, verfilzte Aureole. Im Gesicht hatte sie Schlammspritzer. Dreyer setzte sich neben sie. Sie nahm seine Hand. Dann begann sie zu sprechen, ihre Augen waren weit offen, das Morphium verlieh ihrem Gesicht einen seltsamen Ausdruck. Es machte sie auch redselig. »Richard, ich habe ein paar seltsame Dinge gesehen. Ich habe gesehen, wie Feinde ihre Waffen niederlegten und ihre Wasserrationen teilten. Das geschah immer dann, wenn ihre Felder sich überlagerten. Ich sah zwei Männer, die gegeneinander kämpften und sorgfältig darauf achteten, ihre Felder nicht zu koppeln. Sie rasten mit Bajonetten aufeinander los. Ich war drei Meter von ihnen entfernt verborgen. Ich koppelte uns alle drei mit meinem Feld. Himmel, Richard, es war, als würden drei Filme gleichzeitig in meinem Kopf ablaufen. Unsere Leben lagen jedem offen. Holofilme, Richard. Als wäre jede Person eine Kathedrale, in denen die Szenen ihres Lebens als Fresken dargestellt waren. Alles Häßliche und Edle darin. Wir kannten einander so eingehend, daß wir alles verzeihen konnten. Sie warfen ihre Waffen weg, kamen zu mir und dankten mir. Dann gingen sie gemeinsam weg. Und ich suchte weitere Paare von Kämpfern aus. Der Vorgang wiederholte sich immer wieder. Ich vereitelte Scharmützel um Scharmützel. Es gibt Hoffnung, Richard, es gibt sie...« Ihre Augen blickten stechend. Dann schloß sie sie und gähnte. Sie lehnte sich an seine Schulter. »Richard, es gibt Hoffnung.«
Sie war eingeschlafen. Er setzte alle Geschicklichkeit seines Auf-Feldes ein, um sie so behutsam wie möglich zum Medizinischen Zelt zu fliegen, wo er sie auf einem Feldbett niedersinken ließ. Als er sich wieder aufrichtete, tippte ihm jemand von hinten auf die Schulter. Dreyer wandte sich um. Es war Woolsey.
»Kommen Sie, Dreyer. Strategische Konferenz. Copeland möchte Sie aus irgendwelchen Gründen gerne dabei haben.«
»Stets zu Diensten, Sir«, sagte Dreyer mit einem Lächeln.

Achtes Buch

Voraus: Feinde werden zu Verbündeten, Verbündete zu Feinden

1

Hoffentlich funktioniert es, Dreyer.
Woolseys Worte hallten in seinem Kopf nach.
Sonst könnte es zu einem Kriegsgerichtsverfahren kommen. Und wir könnten alle der Meinung sein, daß Sie die ganze Sache nur aufgezogen haben, um uns reinzulegen.
Kommt der Wahrheit verdammt nahe. Woolsey war gegen Dreyers Vorschlag gewesen, doch Copeland hatte ihn unterstützt. Dreyer hatte Copeland davon überzeugt, daß ein Kampf via Kraftfeld – von der Humanität einmal ganz abgesehen – viel gewinnträchtiger war als das Schleudern von Gegenständen. Der alleinige Wille und die Einheit des Psychus konnten über einen Sieg entscheiden, ob man sich direkt angriff oder indirekt mit Geschossen. Also konnte man es ebensogut auf das Grundlegende reduzieren. Wie Dreyer ausführte, war das Überraschungsmoment auf ihrer Seite, wenn sie den Gegner mit unerwarteten Mitteln angriffen. Es blieb sogar noch etwas Zeit, die Männer darauf vorzubereiten...
Woolsey hatte den Einwand vorgebracht, daß es um die Moral augenblicklich so schlecht stand wie um Lebensmittel. Und ohne Moral konnte es keine zuverlässige Einheit des Gruppenbewußtseins geben, eine Einheit, die für einen effektiven Einsatz des Nullgravfeldes unbedingt notwendig war.
Dreyer hatte dem entgegengehalten, daß die Moral durch indirekten Kampf auch nicht besser werden würde, eher schlechter, und damit würde auch die indirekte Kriegführung – Schleudern von Geschossen – nicht besser verlaufen.
General Rufus war der entscheidende Faktor. Er hatte die ganze Unterredung über geschwiegen, bis zum Ende. Dann hatte er gesagt: »Ich bin für den direkten Angriff, Feld gegen Feld, und zwar aus zweierlei Gründen: Zunächst einmal, wenn wir den Männern die Art des Gefechts erläutern, eine Art, die weniger Leben durch zufällig explodierende Geschosse fordern wird, dann werden sie dafür sein. Sie werden voller Erwartung und Hoffnung sein, und das wird Wunder für die Moral wirken, was unsere Chancen auf einen Sieg steigert.

Zweitens hieße es, den American Way of Life selbst in Frage zu stellen, wenn wir zugeben würden, daß die amerikanische Willenskraft hierfür nicht ausreicht... es wäre ein Eingeständnis, daß wir in uns selbst und unser System weniger Vertrauen haben als die verdammten Iwans.«
Nach einer kurzen, dramatischen Pause fiel die Wahl einstimmig aus: Alle stimmten für Copelands (Dreyers) Plan.
Dreyer blinzelte durch den Frühnebel und zog alle Aspekte des Schlachtfeldes in Betracht.
Die entscheidende Schlacht würde hier ausgetragen werden. Unter dem Hang, an dem Dreyers Division lagerte, befand sich ein betonierter und asphaltierter Platz von etwa einer Viertelmeile Durchmesser, der mit umgestürzten Wagen und verrosteten Lastwagen bedeckt war. Das Bild erinnerte an einen Elefantenfriedhof, die Autos waren die Skelette riesenhafter Tiere. Wegen seiner strategisch günstigen Lage hatten sich beide Gegner dieses Gelände für die Entscheidungsschlacht ausgesucht. Hier war der Punkt des Durchbruchs, die dreißigspurige Autobahn, die zum ehemaligen San Diego führte. Zudem befand sich hier der Knotenpunkt der Ost-West- und der Nord-Süd-Autobahnen, die beide tief in die Landschaft einschnitten und sich daher bestens als Nachschubwege eigneten, da sie Schutz boten und es einfacher war, ihnen zu folgen, anstatt unsicher zwischen den Bergen umherzuirren.
Dreyers Vorgebirge befand sich über dem Nebel, ein Wolkenmeer, das einer riesigen opalisierenden Perle ähnelte. Manchmal konnte man einen braunen Hügelkamm sehen, der sich wie eine Insel im Meer über die endlose Einöde der Wolkenbänke erhob.
Die Sonne war bereits aufgegangen, und der Himmel war so blau wie ein bestimmter Karamelriegel aus Dreyers Jugendzeit. Das Sonnenlicht löste den Nebel in schmale Streifen auf.
An der Südseite des Einschnitts konnte man die russische Armee nur zum Teil im Nebel erkennen. Hin und wieder brach ein Kundschafter oder ein Spähtrupp durch die milchige Oberfläche.
Auch die vernichtenden Energien der Aggression konnte man wie Vorboten des Todes fast knisternd hinter dem Nebel spüren.
Schatten glitten über ihm dahin. Es handelte sich um Männer, die spärliche Essensrationen oder Nachrichten transportierten. Ein Schatten verharrte lange genug, daß er aufsehen konnte. Es war Emmy, die über ihm schwebte. Ihre Füße befanden sich auf der Höhe seiner Schultern. Sie starrte auf das Gelände hinter dem Verkehrsknoten-

punkt. Er zog verspielt an ihrem Knöchel, und sie ließ sich willig auf den Boden herunterziehen.
Offiziere waren emsig hinter ihnen am Wirken, daher unterdrückte er den Wunsch, sie zu umarmen. Sie trug eine saubere Uniform, und ihr Haar war ordentlich unter die Mütze gekämmt. Ihr Gesicht war sauber, und die Wunde konnte man nur noch durch die Ausbuchtung des Verbandes unter der Uniformhose ausmachen. Doch sie war bleich, ihre zusammengepreßten Lippen wirkten blutleer.
»Haben Sie dir Morphium gegeben?« fragte Dreyer.
»Sie haben praktisch keine schmerzstillenden Mittel mehr«, antwortete sie einfach.
Dreyers Magen drehte sich um. »Himmel, einige der Leute wurden gestern operiert – ohne schmerzlindernde Anästhetika. Bin ich froh, daß ich nicht im Sanitätsdienst bin.«
»Ich wurde heute morgen von ihren Schreien geweckt«, sagte sie.
Sie standen dicht beieinander und gaben vor, Informationen auszutauschen. Sie hielten sich so an den Händen, daß die Offiziere hinter ihnen es nicht sehen konnten. Dabei überblickten sie die nebelverhangene Talsohle unter ihnen. Schließlich sagte Emmy: »Dick... wenn wir uns nun täuschen?«
»Wegen dem Widerstand?«
»Nein, was geschehen wird, wenn sich die Auf-Felder überlagern. Vielleicht werden sie verrückt und zerfleischen sich gegenseitig. Gestern nacht konnte ich herausfinden, wie es sich zwischen zwei oder drei Leuten abspielt, aber eine ganze Armee? Und dann ist noch das E-Bataillon mit dabei... diese Irren könnten ihre Krankheit übertragen. Ich wurde schon einmal Zeuge davon, wie der Wahnsinn sich durch die Auf-Felder fortpflanzen kann, damals, als ich in der Kolonie übernachtet habe, wo die Leute nicht mehr landen konnten, wenn sie einmal schwebten. Was wird, wenn sie verrückt und gewalttätig werden, wenn sich zwei ganze Psychusse überlappen...?«
Dreyer nickte. Er drückte ihre Hand und sagte: »Ich verstehe, was du meinst. Ich weiß, es ist ein riskantes Spiel. Aber uns bleibt keine andere Wahl. Wir müssen dem Psychus vertrauen. Dem Überverstand. Der Göttlichkeit, die dem ganzen Prozeß zugrunde liegt. Das sagt mir mein Instinkt.«
»Meiner normalerweise auch. Aber vielleicht ist das nur eine fruchtlose Hoffnung, die Projektion unserer Phantasie. Vielleicht sehen wir nur, was wir sehen wollen, weil wir uns vor der Verzweiflung fürchten.«

»Vielleicht besteht die ganze Realität nur aus der Projektion unserer Phantasie.«
Sie zuckte die Achseln. »Ich glaube, nun sind wir zu weit fortgeschritten, um noch innezuhalten. Jetzt, wo du die Quelle von Allem eingeschaltet hast.«
»Hast du dich bemüht, das alles verborgen zu halten?«
»Vor der Feld-Überlagerung?«
»Ja. Und vor direkter Telepathie. Wahrscheinlich hat die Armee einige hochklassige Telepathen ausgebildet, um uns alle zu überwachen. Wenn jemand, beispielsweise Woolsey, *mich* überprüfen läßt...«
»Ich verstehe, was du meinst. Wahrscheinlich wird er das auch tun, wenn man bedenkt, wie er auf deine Vorschläge reagiert hat.«
»Du hast davon gehört? Mann.«
»Ängstigen wir uns also nicht. Wir können gar nichts mehr tun. Sie sind am Zug. Wir sollten so nahe wie möglich dabeisein, wenn sie aufeinandertreffen...«
»He, ich bin nicht der Typ, der einer Frau sagt, sie soll gefälligst zu Hause bleiben. Du kennst mich. Aber schließlich bist du verwundet...«
Sie lächelte. »Nur eine Fleischwunde. Zudem werde ich nicht auf dem Bein gehen müssen. Und du wirst Hilfe brauchen bei deinem Teil des... speziellen Prozesses. Wenn es wirklich, wie du sagst, einen telepathischen Spitzel gibt, dann wird es auf dem Schlachtfeld sicherer sein, besonders weil Pagolini mit seinen Leuten herkommt. Sie müßten in wenigen Minuten hier sein.«
»Pagolini? Das ist das überzeugendste Argument. Wir gehen gemeinsam.«
»Aber es...«, begann sie. Sie sah ihn an, dann blickte sie jedoch rasch wieder weg. Sie schien sich dagegen entschieden zu haben, ihm etwas mitzuteilen... etwas Wichtiges.
»Ja?« sagte Dreyer.
»Nichts.« Sie schwebte über die Barrikade und den Hügel hinab.
Als er selbst in die Luft aufstieg, um ihr zu folgen, sah er durch ihre sich kurz überlappenden Felder ein geistiges Abbild: einen symbolisch vergrößerten Fötus, der Emmy Durant und Richard Dreyer beim Liebesakt überlagerte...
Sie bekommt ein Kind von mir! dachte Dreyer schockiert.
Jetzt war sie außerhalb der Reichweite seines Feldes. Er überlegte, ob er ihr folgen und sie stellen sollte, um ihr zu befehlen, um des Kindes

willen irgendwo Schutz zu suchen. Er hätte sie umstimmen können... doch das hätte sie verärgert, und sie hatte ohnehin schon genug Schmerzen. Ihre Instinkte hatten ihr gesagt, es vor ihm zu verbergen, bis der richtige Zeitpunkt gekommen war, und heute war der Tag, an dem sie ihren Instinkten und Gefühlen vertrauten.
Daher folgte er ihr zum Schlachtfeld hinunter und ließ kein Wort über das Kind verlauten.

2

Die verbliebenen Nebelbänke verliehen den Nullgravfeldern seltsame Züge.
Manchmal sahen sie wie ein riesenhaftes Feld von Seifenblasen aus, die nebeneinander schwebten oder ineinander übergingen – Glaskugeln, deren Umrisse von Kondenswasser markiert wurden. Manchmal ähnelte es auch einem kaum überschaubaren Feld transparenter Gehirne, in deren Innern man den schattenhaften Körper eines Menschen sehen konnte. Verantwortlich für diesen Effekt waren die beiden Halbkugeln des Feldes. Windungen gab es keine, statt dessen flimmerte die Erscheinung wie ein unscharfes Fernsehbild. Doch sowohl Blasen wie auch Gehirne verschwanden, als die Männer sich in geordneter Formation von den Rändern der Autobahn erhoben und über die verlassenen Fahrzeuge schwebten... das war die amerikanische Armee, die von Norden heranrückte. Die Hügel über der Kreuzung waren schwer bewaffnet und bewacht, damit keine der Armeen von den Flanken her aufgerollt werden konnte. Verschiedene strategische Gegebenheiten erzwangen eine Konfrontation direkt an der Straße. Es war fast wie das Ergebnis einer taktischen Übereinkunft zwischen den beiden Armeen.
Dreyer und Emmy beobachteten das Schlachtfeld aus einem umgestürzten Lieferwagen, der etwa acht Meilen von der Kreuzung entfernt lag. Aus Angst vor Spionen spähten sie vorsichtig durch die verschmutzten Scheiben.
Dreyer stand, an das vertikale Armaturenbrett gelehnt, neben Emmy auf der verbeulten und zerschmetterten Fahrertür und wartete gespannt darauf, daß die Russen mit Auf-gelenkten Geschossen die Kampfhandlungen eröffnen würden. Plan der Amerikaner war es, diese Geschosse ebenfalls mit Auf abzuwehren, das Feuer aber nicht zu erwidern, um die Kräfte der Männer zu schonen und keine Barriere

zu bilden, die den für einen Direktangriff nötigen Schwung zum Erliegen bringen konnte. Sie hofften, die Russen allein mit der brutalen Kraft eines Auf-Feld-Stoßes zurückdrängen zu können, ihre Reihen aufzubrechen, die verwirrten Teile der russischen Armee gefangenzunehmen und die verbleibenden Zentren des Widerstandes buchstäblich zu zerquetschen, wenn der psychische Durchbruch erst einmal erreicht war.

Doch die Russen eröffneten das Feuer nicht. Sie schleuderten nichts, betätigten keine Abzüge, warfen keine Granaten. Sie marschierten statt dessen rasch voran, Phalanx um Phalanx, um die amerikanische Front aufzuhalten.

»Sie werden auch mit ihren Feldern kämpfen!« rief Emmy. »Sie verlassen sich auch nicht auf den indirekten Angriff!«

»Als hätten auch sie den neuen Stand der Kriegführung erkannt. Aber wahrscheinlich haben ihre Spione von der amerikanischen Strategie Wind bekommen, und sie haben eingesehen, daß ein Angriff mit Geschossen und dergleichen reine Energieverschwendung ist. Sie stellen sich dem Angriff.«

»Das ist gut für dich und mich«, kommentierte Emmy, während die Armeen sich einander näherten.

»Komm.« Dreyer schwebte über den Lieferwagen. Emmy folgte ihm. Sie hielten sich zwischen den Fahrzeugen, wichen verbogenen, vorstehenden Metallteilen aus und sahen gelegentlich ihre unscharfen Spiegelbilder in schlammbespritzten Windschutzscheiben.

Sie hielten sich verborgen, bewegten sich langsam, sondierten das Gelände physisch...

Die Armeen prallten aufeinander.

Zwei unsichtbare Wälle ekstatischen Selbstvertrauens und kinetischer Energie bekamen Kontakt.

Kein Laut war zu hören, abgesehen vom Pfeifen des Windes und dem Keuchen der Männer. Kein akustisch verständliches Signal.

Doch jeder Schädel im Umkreis von Meilen hallte unter der direkten Konfrontation zweier Psychusse wider.

Niemand berührte den anderen physisch.

Doch Dreyer und Emmy (die einander fühlten) konnten über dem rostenden Blechirrgarten Detroiter Produktion Tausende psychisch zucken fühlen. Jeder Mann zitterte und bebte in genau gleicher Entfernung vom Nebenmann und Boden in der Luft, als wären alle durch einen Stromkreis miteinander verbunden, der sie gleichzeitig mit Energie versorgte.

Den schockierten Beobachtern und Spähern, die über der Zufahrt zur Ostautobahn hinter Dreyer schwebten, bot sich das folgende Bild:
Die beiden Armeen hatten sich zu flachgedrückten Halbkugeln formiert. Von der Seite sahen sie oval aus, da sie von der Konfiguration des Gruppenfeldes geformt wurden, das sich aus dem der einzelnen Männer zusammensetzte. Die Ränder der beiden Halbkugeln berührten einander. Der russische Psychus reagierte mit dem amerikanischen Psychus.
Ein Oval begann nach links zu rotieren, das andere nach rechts. Darüber schwebende Männer sahen sie als flache, aus Spiralarmen zusammengesetzte Galaxien, die im Zentrum, wo mehr Männer konzentriert waren, eine Beule aufwiesen.
Die Luft hallte wider von Musik, die für das Ohr unhörbar war.
Ein starker Wind kam auf, der Staub und Wolken und allerlei Gegenstände aus dem Zentrum jeder aus Männern bestehenden Galaxie herauswehte.
Während die Galaxien sich drehten, wurden sie breiter. Binnen weniger Augenblicke hatten sich die Galaxien in Schmetterlingsflügel verwandelt, die einander gegenläufig symmetrisch waren, jeder das perfekte Gegenstück zum anderen.
Sekunden später hatte sich aus den Schmetterlingsflügeln das klassische Profil eines Magnetfeldes gebildet, das Muster von Eisenspänen auf einer Platte über einem Magneten – Bogen über Bogen.
Immer noch hielten die Männer zitternd stand.
Emmy und Dreyer waren fast unmerklich mit hineingezogen worden, nun rotierten sie zitternd nahe dem Zentrum der Gebilde.
Selbstverständlich auf der amerikanischen Seite.
Und über dem surrenden Magnetfeld, freischwebend in der Luft, wie der Engel eines mittelalterlichen Gemäldes über dem Kruzifix, befand sich die Quelle von Allem. Der perfekte Hermaphrodit, der Abkömmling von Hermes und Aphrodite.
Er schwebte dort wie der Körper des Schmetterlings, weiß und nackt, zweifach gesegnet und ersehnt, sein Gesicht das Gesicht von vielen und doch der Ausdruck eines einzigen Verstandes.
Wieder veränderte sich das Muster der ekstatischen Gedankenverbindung.
Es wurde in den Zentren flacher und ähnelte zwei Händen, die sich zum Handschlag nähern. Die entgegengesetzten Flügel schwebender Menschen schwangen herum, und als Resultat betrachteten sich zwei

Wälle von Männern und Frauen gegenseitig aus einer Entfernung von nur wenigen Schritten. Die Quelle schwebte zwischen diesen beiden Wällen. Alle Augen waren auf sie gerichtet.
(Dreyer durchlebte fragmentarische Bilder Tausender Gehirne, sah Tausende verschiedene Schicksale, die sich in seinem Gehirn zu einem vielschichtigen Muster verdichteten, das Analogon zu der Vielfalt elektronischer Pünktchen und Linien eines Fernsehbildes, die auf ein gemeinsames Signal hin ein einheitliches Bild ergeben. Das Bild selbst aber veränderte sich mit stroboskopartiger Geschwindigkeit von Sekunde zu Sekunde. Es war ein Ballett der Sinuswellen.)
Die Quelle von Allem begann zu steigen und mit ausgebreiteten Armen und nach oben gerichteten Handflächen zu kreisen. Ihr Gesicht strahlte verklärte Wonne aus, als würde sie sich in der Strahlung der gekoppelten telekinetischen Felder sonnen, das durch die Anstrengung so vieler Gehirne erzeugt wurde. *Das* Feld.
Über der höchsten Linie der Menschen kam die Quelle von Allem zum Stillstand.
Und wieder veränderte sich das Muster. Alle veränderten die Position innerhalb »ihrer« Wälle, so daß kein Mann und keine Frau sich einem Mann oder einer Frau gegenüber befand. Jeder Russe hatte einen Amerikaner rechts und links von sich, einen über und einen unter sich, aber keiner sah sich von Angesicht zu Angesicht konfrontiert. Der Grund hierfür wurde fast augenblicklich ersichtlich, als...
Die russischen und die amerikanischen Dienstgrade glitten aneinander vorbei, ineinander, durcheinander, die Wälle trafen sich und glitten aneinander vorbei, die einzelnen Komponenten durch die freien Stellen, wie beim Mischen eines Kartenspiels, so daß die Amerikaner sich dort befanden, wo die Russen sich befunden hatten, und die Russen dort, wo die Amerikaner gewesen waren. Nun standen alle mit dem Rücken zueinander.
Und doch zitterten sie alle noch unter dem Eindruck des Gruppenverstandes und der Freisetzung der Egolosigkeit.
Dreyer sah einen Blitzstrahl hinter seinen Lidern herniederfahren.
Und sein nächstes bewußtes Gefühl war das von... Boden unter den Füßen. Er sah sich um.
Überall streckten sich Männer und Frauen gähnend, als wären sie gerade aus einem langen Schlaf erwacht. Sie standen auf den Dächern verlassener Autos und dem Asphalt der Straße. Sie betrachteten einander überrascht und entzückt.

Dreyer erhob sich vom Boden und war erleichtert über die Feststellung, daß er immer noch Auf-schweben konnte. Er schwebte zur russischen Seite hinüber. Dort sammelte man sich in kleinen Grüppchen, lachte und redete. Amerikaner mischten sich unter sie.
Doch als Russen und Amerikaner sich vermischten, wurden von anerzogenem Chauvinismus hervorgerufene Zweifel in vielen Gesichtern deutlich. Finstere Mienen wurden sichtbar, der Beginn von Feindseligkeit.
Dreyer sah sich verzweifelt nach der Quelle von Allem um.
Er/sie war nirgends zu sehen.
Emmy gesellte sich am Rand einer halbverfallenen Brücke zu ihm.
»Mir ist so seltsam zumute«, sagte sie. »So komisch. Erschöpft, aber erleichtert und etwas . . . ich weiß nicht. Alles scheint möglich. Es ist sexuell, aber es hat sehr viel mit meinem Herzen zu tun. Mein Gehirn, mein Rückgrat, mein Verstand. Es ist komisch. Merkwürdig.«
Ihre Pupillen waren geweitet. Sie sprach weiter. Sie schien ein wenig verwirrt, aber glücklich.
Und alle der abertausend Männer und Frauen, die über das Terrain ausschwärmten und kleine Gruppen bildeten, die sich zwischen Betonbrocken und verbeultem Metall aufhielten, teilten Emmys benommenen Gesichtsausdruck und die aufgerissenen Augen.
Hier und da flackerte allerdings auch Feindseligkeit auf.
Dreyer sah zum Himmel.
Jetzt, dachte er.
Und genau in diesem Augenblick hörte er auch die Botschaft, die gleichzeitig im Kopf jedes Mannes und jeder Frau erklang:

IHR WURDET HIERHER GEBRACHT, UM EUCH GEGENSEITIG ZU TÖTEN. VON WEM UND AUFGRUND WESSEN AUTORITÄT? DIE AUTORITÄT, DIE EINST KRIEGE ZWISCHEN NATIONEN BEFAHL, IST ZERFALLEN UND MIT DEM GEWICHTSVERLUST UNTERGEGANGEN. NIEMAND KANN EUCH MEHR BEFEHLE ERTEILEN, ES GIBT KEINE AUTORITÄT MEHR. WARUM SOLLT IHR TÖTEN UND STERBEN? WEGEN NAHRUNG? WIE GERING IST DER VORTEIL! WEGEN SCHUTZ UND UNTERKUNFT? WIE ARMSELIG SIND BEIDE! WEGEN GELD? WELCHEN WERT HAT DAS GELD HEUTE NOCH? WEGEN EURER NATION? WELCHE BEDEUTUNG HABEN GRENZEN, WENN ALLE MENSCHEN FLIEGEN KÖNNEN? WER SIND SIE, DASS SIE EUCH ZU TÖTEN UND ZU STERBEN BEFEHLEN

WOLLEN? IHR HABT GESPÜRT, DASS DAS FALSCH WAR. NUN *WISST*, DASS ES FALSCH WAR.

Es war eine Sprache in einer Botschaft, die alle Sprachen der modernen Menschen zusammenfaßte. Es war die Sprache, die die Menschen vor dem Einsturz des Turms zu Babel gesprochen hatten.
Alle verstanden sie.
Und mit der Botschaft kam ein Emotionsstrom, der zu jeder Frau und zu jedem Mann übertragen wurde und sie erneut alle ein paar Sekunden lang miteinander verband, ein gemeinsames Gefühl für alle. Dieses Gefühl brachte die Wende, denn es sagte mehr aus, als alle Worte sagen konnten.
Es war das Gefühl der Scham.
Scham, weil sie die Gabe des Auf mißbraucht hatten.
Überall streiften die Menschen ihre Uniformen ab und umarmten sich. Sie koppelten ihre Felder und sprachen direkt, von Verstand zu Verstand miteinander.
Dann geschahen vier Dinge in rascher Folge hintereinander.
Zuerst dies: Junge Männer und Frauen, sowohl Russen als auch Amerikaner, erhoben sich über die Menge und flogen in geordneter Formation nach Norden. Während sie flogen, streiften sie die Kleider ab und warfen sie achtlos zu Boden. Sie alle hatten etwa dasselbe Alter, etwa dieselbe Größe und einen ähnlichen physischen Typus. Die Kolonie der Quelle von Allem hatte sich ihren Anteil geholt.
Als zweites dies: Die wenigen (etwa hundert) russischen und amerikanischen Offiziere, die nicht Teil der einheitlichen Psychuskonfiguration waren und die so weit entfernt gewesen waren, daß sie die Botschaft der Quelle nicht verstanden hatten, sammelten sich auf den höchsten Hängen des Schlachtfelds über dem Knotenpunkt, dem Autofriedhof. Einige der Männer stellten Maschinengewehre auf, andere Mikrowellenkanonen. Sie betrachteten alle auf dem Schlachtfeld als Verräter und Deserteure, die den Tod verdient hatten. Pagolini schwebte über den Männern und brüllte Befehle.
Und als drittes: Das E-Bataillon, das bis zum letzten Augenblick zurückgehalten worden war, kam von Osten aus dem Tal herbei, eine ungeordnete Phalanx über den Ruinen der Autobahn. Einige trugen Uniformen, andere Motorradjacken, manche blaue Anstaltskleidung, manche T-Shirts und manche durchsichtige Plastikjacken.
Dreyer mußte lachen, denn mindestens die Hälfte von ihnen flog mit gespreizten Beinen und angewinkelten Knien, als würden sie Motor-

rad fahren. Jene hatten die Hände vorgestreckt und die Finger gebogen, als umklammerten sie Lenkstangen. Aber sie fuhren nicht auf Motorrädern.
Alle hatten Gewehre auf den Rücken geschnallt.
Sie waren etwa hundert Meter östlich und kamen rasch näher. Sie kreischten und riefen einander Worte zu und bereiteten sich auf ein Gemetzel vor.
Und schließlich: Eine Botschaft hallte in den Köpfen des E-Bataillons, eine Botschaft von der Quelle von Allem (Dreyer und seine Gefährten konnten sie nur leise verstehen, wie durch ein psychisches Leck), und es war eine Botschaft, die von Haß und Wut bestimmt wurde:

DORT! AUF DEN HÜGELN ÜBER EUCH! AUF DEN HÄNGEN! EIN HINTERHALT FÜR EUCH! DORT LAUERT DER FEIND! SIE HABEN ENTSCHIEDEN, DASS IHR NUTZLOS FÜR SIE SEID. IHR SEID IHNEN ZU GEFÄHRLICH. SIE WERDEN EUCH TÖTEN! IHR WISST GENAU, IHR HÄTTET IHNEN NIEMALS VERTRAUEN DÜRFEN! WAS HABEN SIE EUCH GEGEBEN?

Das E-Bataillon wandte sich wie ein Mann um und flog auf den Hügel zu.
Etwa die Hälfte flog zur russischen Seite (denn die Quelle von Allem manipulierte sie mittlerweile voll und ganz – sie waren so beeinflußbar in ihrer Wut, wie es die Armee unter der Einwirkung des psychischen Schocks gewesen war), die andere kümmerte sich um die amerikanischen Offiziere.
Die Waffen begannen zu sprechen.
Quelle von Allem, dachte Dreyer, *wir hatten beschlossen, daß es kein Blutvergießen geben sollte.*
Er erhielt keine Antwort.
»Vielleicht war es unvermeidlich«, murmelte Dreyer.
»Was?« fragte Emmy.
»Nichts«, antwortete Dreyer. »Gehen wir zu den anderen.«
Die anderen sammelten sich über dem Panorama der umgestürzten Autos und flogen westwärts zum Meer.
Sie beschlossen, am Strand zu feiern.
Sie kehrten dem Massaker den Rücken.

Epilog

Der größte Teil der russischen Invasionsarmee ließ sich in den Vereinigten Staaten nieder.
Aber keiner nannte das Land mehr Vereinigte Staaten.
Zweimal jährlich wurden große Versammlungen des Psychus abgehalten, wo Felder gekoppelt und Entscheidungen getroffen wurden. Aber außerhalb der Siedlungen gab es keine Regierung, jede hatte ihre ureigenste Methode, Entscheidungen zu treffen.
Die Indianer hatten ein Viertel des nordamerikanischen Kontinents für sich verlangt, hauptsächlich in Westkanada und im Nordwesten der ›Vereinigten Staaten‹. Es bestanden Übereinkünfte, die dem weißen Mann die Durchreise erlaubten, die Indianer waren freundlich und kooperativ, hinsichtlich von Siedlungen in ihrem Gebiet aber blieben sie eisern. Siedlungen von Weißen waren verboten. Mit einer Ausnahme: Dreyer.
Im restlichen Land gab es Tausende von Siedlungen, Tausende von Siedlungsverwaltungen, eine unglaubliche Vielzahl von Lebensstilen und politischen Strukturen. Es gab keine nationalen Medien, keine Armee, keine einheitliche Wirtschaftsstruktur.
Sie hatten innerhalb von sieben Jahren acht Kämpfe vereitelt, von denen zwei sich zu Kriegen hätten ausweiten können. Denn sieben Jahre waren seit dem Krieg Der Keiner War verstrichen (der auch Die Schlacht Von San Diego oder Einsicht Der Liebenden genannt wurde). Heute gab es auf dem amerikanischen Kontinent keine Kriege mehr. Nur gelegentlich kam es noch zu Zusammenstößen mit Banden von Gesetzlosen.
Die Kolonien der Quelle von Allem wurden Jahr für Jahr größer. Doch sie vergrößerten sich langsam und ohne Boshaftigkeit.
Das gelegentliche psychische Rekrutieren der Quelle löste heftige Debatten aus. Junge Leute desertierten manchmal einfach ohne ersichtlichen Grund aus ihren Siedlungen, warfen Feuerholz beiseite, stießen Wachen beiseite und gingen. Es wurde diskutiert, ob der Prozeß wirklich auf freiem Willen beruhte. Beschlossen die jungen Leute – inzwischen einer unter zwanzig – wirklich, freiwillig zu gehen? Oder wurden sie einfach irgendwie übernommen und manipuliert... Der generelle Konsens lautete, daß es durchaus eine Form des freien Willens war. Schließlich geschah es innerhalb des Psychus, und offensichtlich fand es auch seinen Segen.

Viele andere seltsame Dinge trugen sich zu. Zuviel, als daß man alles in Kürze erzählen könnte.

Dreyer und Emmy befanden sich auf dem Rückflug von der Auf-Beratungsversammlung. Nach einjährigem Hin und Her hatten sie endlich durchgedrückt, daß »Verkehrsschilder« für diejenigen aufgestellt wurden, die häufig innerhalb bestimmter Landstriche unterwegs waren. Leuchtende Pfeile sollten an Klippen und Felsen angebracht werden, ein Kode, um größere Siedlungen und Versammlungsorte leichter zu finden.
Sie kehrten zu ihrer Blockhütte im südlichen Oregon zurück.
Joe Kilkenny und sein Geliebter Bertram hatten sich um Emmys und Dreyers Kind Hermes gekümmert, während die beiden unterwegs waren. Wenn sie zurückkehrten, würde Emmy das Kind wieder an sich nehmen, damit Joe und Bertram zu dem Symposium über »Neue Wege der Ausbildung zwischen den Siedlungen« gehen konnten, das in New Mexico abgehalten wurde.
Es war Frühling, das Land unter ihnen war ein einziges Farbenmeer. Ihre Hütte, die Dreyer, Emmy, Joe und Bertram mit einiger Unterstützung von Hermes selbst gebaut hatten, stand am Rande einer Hochebene. Die Eingangstür führte direkt am Rand der Schlucht ins Leere. Sie lag nach Osten, eine Richtung, die nun schattenhaft vom Heranrücken der Dämmerung kündete. Die Berge versanken in Düsternis.
Dreyer und Emmy kamen von Osten. Sie flogen blinzelnd der sinkenden Sonne entgegen. In der Ferne glomm die rot gestrichene Hütte, deren Eingangstür von Koniferen und Rebstöcken gerahmt wurde, in den letzten Strahlen der Sonne.
Dreyer war müde. Er flog dicht an Emmys Seite.
Sie flogen rasch, da ihre Heimat bereits in Sichtweite war, der Wind heulte in ihren Ohren, so daß sie ihre gesprochenen Worte nicht verstehen konnten. Daher deutete Dreyer lediglich mit dem Finger, um Emmys Aufmerksamkeit auf eine kleine Gruppe von Menschen zu lenken, die sich der Hütte von Norden näherten. Emmy beschattete ihre Augen und wischte Staub und zerquetschte Insekten von der Schutzbrille.
Die Flieger waren noch ein gutes Stück entfernt, und doch konnte man etwas Seltsames an ihnen bemerken.
Emmy aber landete bereits auf dem Dach der Hütte, wo Joe, Bert und Hermes im Schatten des Dachgartens warteten. Sie winkten.

Dreyers Herz wurde warm, als er seinen Jungen wiedersah, dem er sich zusehends näherte.
Binnen weniger Augenblicke waren alle gelandet, und es wurde viel umarmt. Auf-Felder knisterten beim Kontakt miteinander.
Der braungebrannte, blonde Junge löste sich aus Dreyers Umarmung und schwebte verspielt in die Höhe. Er flog über dem Kopf seines Vaters dahin und machte Geräusche wie eine Biene, wobei er so tat, als wollte er seinen Vater mit dem ausgestreckten Zeigefinger stechen.
Die Gruppe der Fliegenden kam immer näher. Es waren etwa zwanzig, und sie zeichneten sich durch eine seltsame Hautfarbe aus.
Dreyer schenkte ihnen nur einen kurzen Blick. Er lachte mit seinem Sohn. »Los«, sagte er, »gib deiner Mutter um Himmels willen einen Kuß. Du kleiner Narr.« Er lachte, als der Junge so ungestüm in Emmys Arme flog, daß er sie fast umwarf.
Er war barfuß und trug nur kurze Hosen.
»Geh runter und zieh dir etwas Warmes an«, mahnte Dreyer seinen Sohn. »Es wird kühl.«
»Oohhh... nix da!« sagte der Junge. »Ich will nich', nee danke.« Er preßte das Gesicht gegen Emmys Arme.
Großer Gott, wie reizend sie aussah, ungeachtet ihres schmutzigen Gesichts und der müden Augen, als sie ihren Sohn umarmte. Ihre Aura flackerte golden vor Freude. »Los«, sagte sie leise, »zieh dir ein Hemd über, Herm.«
»Ohhh...« Der Junge ging zur Falltür. Er flog eilig los, um sich ein Hemd anzuziehen und wieder zurückzukehren.
Dreyer wandte sich ab. Er musterte Joe. »Ihr geht morgen früh?«
»Klar«, sagte Joe, »wenn dieser elende Trödler...« – er deutete mit dem Daumen zu Bert – »... sein verdammtes Gepäck noch rechtzeitig zusammenbekommt.«
»Hermes?« Etwas in Emmys Tonfall...
»Sohn?« Dreyer sah sich um. »Er ist unten...« Doch dann sah er die Hose des Jungen auf dem Dach liegen.
Er sah auf. Sie alle sahen auf.
Hermes war eine winzige nackte Gestalt, die emporflog, um sich zu den anderen nackten Gestalten am Himmel zu gesellen. Er reihte sich in ihre Formation ein. Sie alle hatten etwa seine Gestalt, sein Alter, seine Erscheinung.
Sie flogen weiter nach Süden.
Emmy und Dreyer versuchten beide instinktiv, ihm zu folgen. Sie konnten nicht. Etwas hinderte sie daran. Die Quelle von Allem?

»Bitte...« sagte Emmy schluchzend.
Niemand antwortete auf ihr Flehen. Nichts und Niemand.
Sie sank auf die Knie und vergrub das Gesicht in den Händen.
Dreyer konnte nur denken: *Dieses Jahr holen sie sie jung zu sich.*
»Es wird eine Zeit kommen«, sagte Joe leise, »da werden sie sich entscheiden, uns vom Antlitz der Erde wegzufegen.«
»Das sollen sie getrost versuchen«, sagte Dreyer heiser.
Die Gruppe der nach Süden fliegenden Kinder war in der Dämmerung verschwunden.
»Das sollen sie getrost versuchen«, wiederholte Dreyer.